Mes chères études

Étudiante, 19 ans
Job alimentaire : prostituée

© Max Milo Éditions, Paris, 2008
www.maxmilo.com
ISBN : 978-2-35341-032-3

Laura D.

Mes chères études

Étudiante, 19 ans
Job alimentaire : prostituée

Max Milo
Témoignage

« Un mot posé sur cette feuille, et tout commence… La fusion entre le papier et l'encre, entre toi et moi… L'amour, l'un transcendant l'autre, l'autre lui répondant. L'instant où les deux deviennent "un" ; l'écriture, notre aventure, ce livre. Cet instant qui me fait vibrer. La réalité des mots, des faits, l'horreur mise par écrit… L'horreur d'un quotient de temps d'étudiants… Un livre, parlant de Laura, mais Laura est plus d'une personne… Elle est trop de personnes à la fois, il faut ouvrir les yeux, et réagir… »

Ce livre a été écrit avec la collaboration de Marion Kirat, 23 ans, étudiante en école de traduction.

À ma sœur de l'ombre...

Introduction

Ne fermez pas les yeux

Il est maintenant debout devant moi, le caleçon à ses pieds. En sous-vêtements, je le regarde me dévisager longuement. Je sais que dans moins d'une minute, il me demandera de m'asseoir près de lui et qu'après cela, mon corps ne m'appartiendra plus pendant une heure. Une heure à 100 euros.

Je m'appelle Laura, j'ai 19 ans. Je suis étudiante en langues vivantes et je suis obligée de me prostituer pour payer mes études.

Je ne suis pas toute seule dans ce cas. Il paraît que 40 000 autres étudiantes font comme moi. Tout s'est enchaîné dans une logique bizarre, sans que je me sois vraiment rendu compte que je tombais.

Je ne suis pas née avec une petite cuillère en argent dans la bouche. Je n'ai jamais connu le luxe et l'aisance, mais jusqu'à cette année, je n'ai jamais manqué de rien. Ma soif d'apprendre, mes convictions m'ont toujours fait penser que mes années étudiantes seraient les plus belles, les plus insouciantes. Je n'aurais jamais pensé que ma première année à l'université se transformerait en un véritable cauchemar qui me ferait fuir ma ville natale.

À 19 ans, on ne se prostitue pas pour de l'argent de poche. On ne vend pas son corps pour pouvoir s'offrir des vêtements ou se payer des cafés. On le fait lorsque l'on se trouve dans le besoin et en se persuadant que ce sera provisoire, le temps de payer ses factures, son loyer, et sa nourriture. Les prostituées étudiantes ne sont pas celles que l'on trouve dans la rue. Elles ne sont pas non plus droguées, sans papiers, et ne viennent pas toutes de milieux pauvres. Elles peuvent être de peau blanche, françaises et venir d'une famille aux revenus modestes. Elles ont simplement en commun cette envie de suivre des études dans un pays où celles-ci réclament de plus en plus d'argent. L'histoire que vous allez lire se passe dans une grande ville française. Je l'ai appelée V. pour protéger mes parents. Ils ne doivent pas savoir. Jamais. Je suis leur petite fille presque modèle. Têtue mais pas traînée.

Bien sûr, on peut me reprocher de ne pas avoir gardé un job minable pour sortir de la galère. La plupart des prostituées étudiantes, comme cela a été mon cas, ont un petit boulot à côté mais n'arrivent tout de même pas à sortir du rouge. La prostitution et ses tarifs faramineux sont une tentation bien trop grande lorsque l'on manque d'argent et qu'il faut le trouver dans l'urgence.

Cette histoire est la mienne, et même s'il ne m'a pas été facile de la livrer, ma motivation première était de lever le voile sur l'hypocrisie qui règne autour de la prostitution étudiante. La précarité des conditions de vie des étudiant(e)s

14

aujourd'hui ne peut plus être ignorée. Pour l'instant, trop peu de personnes connaissent l'existence de ce fléau.

Ce témoignage a pour but de faire prendre conscience, de changer les choses pour que les étudiantes démunies n'aient plus jamais besoin de vendre leur corps afin de pouvoir payer leurs études. Pour que l'on ne soit plus seulement choqué devant les trafics d'autres pays et que l'on concentre aussi ses efforts sur les cas français.

Et pour qu'enfin on ne laisse plus jamais cela arriver, pour qu'on ne ferme plus les yeux.

Chapitre 1

La convocation

4 septembre 2006

Je marche d'un pas tranquille sur le campus universitaire de V. Aujourd'hui n'est pas un jour ordinaire, car je m'inscris en LEA, espagnol et italien.

Il y a deux semaines, j'ai reçu un papier m'indiquant que je devais me rendre impérativement au secrétariat de l'université à 14 h 30, pour présenter mon dossier et obtenir ma carte étudiante. J'ai été prise d'une excitation immense et je me suis dépêchée de rassembler toutes les pièces nécessaires. Il y a beaucoup de paperasses, mais j'en suis venue à bout. Le plus jubilatoire a été d'intégrer le relevé de notes du baccalauréat, car il marque très concrètement la fin d'une époque. Je suis aussi allée faire des photos à la hâte dans le métro, où j'arbore un large sourire, un sourire de gagnante.

Ce matin, en me levant, j'ai bien étudié le chemin en métro pour être présente à temps à l'université. Je ne voulais surtout pas rater les inscriptions. J'ai même fraudé

17

les transports en commun parce que je n'avais pas assez d'argent pour payer mon ticket. Je me suis promis de ne plus le faire durant l'année, et de m'acheter une carte d'abonnement, même hors de prix. Je suis convaincue que l'université va changer beaucoup de choses dans ma vie.

Dans le métro, je ne tenais pas en place, trop surexcitée à l'idée de découvrir l'endroit où j'allais étudier et passer tant de temps. Mon baladeur, auquel je suis d'habitude accrochée, n'avait pas pu apaiser mon enthousiasme exacerbé. Je me suis même assurée à trois reprises que j'avais bien tous les papiers pour l'inscription. Je ne pouvais imaginer me retrouver là-bas et m'entendre dire : « Désolée, mademoiselle, mais votre dossier est incomplet, vous ne pouvez pas recevoir votre carte. Il vous faudra revenir. » Non, c'est aujourd'hui que je devenais étudiante, et pas un autre jour.

J'étais si nerveuse que j'en ai bien failli rater mon arrêt. Au dernier moment, les voix joyeuses d'un groupe de jeunes m'ont sortie de ma rêverie. Ils se bousculaient pour descendre de la rame, ce qui m'a rappelé que moi aussi je descendais là. Je vais devoir me faire à mon nouveau statut : je suis étudiante maintenant, plus lycéenne. J'ai 18 ans et demi.

Je suis arrivée à 14 heures pétantes sur le campus. Je ne savais pas vraiment où aller en quittant le métro, alors j'ai suivi le groupe d'étudiants. Constatant qu'il me reste du temps devant moi, je me balade un peu pour découvrir les lieux. Sur un plan affiché à la sortie du métro, je regarde tout de même où je me trouve exactement, pour ne pas

18

me perdre. Le campus ressemble à un véritable village. Il y a même des panneaux de signalisation pour indiquer les différents bâtiments. Sur la carte, je repère ce qui sera mon futur lieu d'études : « Faculté de langues, bâtiment F. » Bâtiment F, cet endroit sera donc mien cette année. À cet instant précis, il me tarde de le connaître, de monter et descendre ses marches en grande habituée, de savoir quel raccourci prendre pour le rejoindre. Il me tarde de faire partie de ce monde-là.

Je décide d'aller y jeter un coup d'œil, rapidement, avant de m'inscrire. Je ne peux décemment pas repartir chez moi sans avoir vu où je vais préparer ma licence au cours des trois prochaines années. Une fois devant, je plisse les yeux à cause du soleil de septembre, réminiscence de l'été passé. L'édifice est plutôt banal, mais je m'en fiche. À mes yeux aujourd'hui, il est synonyme d'avenir.

J'ai choisi les langues vivantes un peu par dépit, je l'avoue. Je voulais m'orienter vers le marketing, et intégrer une école qui m'offrirait une formation hors pair. J'ai toujours été quelqu'un de dynamique, qui aime les responsabilités. J'aime le fait d'être en permanence stimulée et le challenge qu'une vente peut présenter. Je crois que je voulais aussi avoir le plus rapidement possible une vision très claire du monde du travail. Je voulais que l'on me prépare le mieux possible à mon futur métier. Je recherche une cassure complète avec l'environnement du lycée, qui a été un fardeau pour moi, par son protectionnisme et ses enfantillages. Et puis, soyons honnête, après une école de commerce, trouver un travail s'avère

19

très souvent bien plus facile qu'au sortir de l'université. Et un travail qui paye bien, qui plus est.

Mais ce rêve m'est impossible à atteindre à l'heure actuelle. Les écoles sont beaucoup trop chères pour moi. Et contracter un prêt demande un engagement sur plusieurs années, chose que je ne peux me permettre. Au fond, je ne pense même pas que mon dossier aurait été accepté. Au-delà du remboursement total, je ne peux même pas, actuellement, verser des mensualités de façon régulière. J'ai donc laissé tomber cette piste pour me lancer dans l'étude des langues vivantes, de façon stratégique. Je reste persuadée qu'après ma licence LEA en espagnol et italien, je pourrai me réorienter vers une école de commerce, où la maîtrise des langues vivantes est indispensable. De plus, l'Amérique latine a pris un essor économique considérable ces dernières années, et avec mon espagnol et mon italien, je serai prête à l'attaque. Et qui sait, peut-être que je doublerai tout le monde avec ce bagage culturel en plus ? Devant le bâtiment F, j'ai des rêves plein la tête.

Je ne suis pas à plaindre, j'ai toujours eu des vêtements sur le dos et de la nourriture dans mon assiette. Mais je ne connais pas l'aisance et l'insouciance de l'argent. Mon père travaille comme ouvrier et ma mère est infirmière. Tous les deux gagnent juste le SMIC, avec deux enfants à élever. Juste assez pour joindre les deux bouts, mais jamais d'excédent. Je n'ai pas droit aux bourses, car je fais partie de ces innombrables étudiants qui se trouvent dans la fourchette fatale : très loin de ce que l'on peut qualifier de riches, pas assez pauvres pour recevoir des aides étudiantes. Après addition des deux revenus familiaux, l'État juge que mes parents peuvent subvenir à mes besoins. Aucune échappatoire : je dois me contenter de ce que nous n'avons pas.

J'écourte ma balade, car je veux vraiment arriver au secrétariat à l'heure. Je ne peux plus tenir, je veux avoir ma carte étudiante dans les mains. Je cours presque.

Une fois là-bas, je me retrouve face à une file de personnes allant jusqu'à l'extérieur du bâtiment. Je patiente gentiment, en novice que je suis. Ils ont pourtant dit 14 h 30 *impérativement.* J'ai là un premier aperçu de la vie estudiantine, qui se résume souvent à attendre des heures devant des guichets administratifs.

Juste au moment où je me dirige vers la queue, deux filles affublées de tee-shirts de couleurs différentes se jettent littéralement sur moi.

— Salut, tu es en première année ?

— Oui, et toi ? dis-je avec un sourire plutôt surpris.

Une des filles me regarde bizarrement. Ce n'est pas la réponse qu'elle attend et, apparemment, elle ne compte pas s'embarquer dans une conversation avec moi. Très vite, pourtant, elle sourit à son tour : je suis une proie facile.

L'unique raison de leur approche est de me faire souscrire à une Sécurité sociale étudiante. Je comprends rapidement à leur discours qu'elles font ce job avant que les cours reprennent et sont rémunérées à la commission. Elles sont visiblement en concurrence, voire en guerre, car sans avoir de gestes violents, elles se coupent la parole sans arrêt, se bousculent presque pour me faire face. Je ne comprends pas vraiment ce que je dois faire, tout ceci est nouveau pour moi. Elles parlent vite et mal, je ne capte qu'un mot sur deux. À vouloir toutes les deux faire le pitch le plus convaincant, elles tiennent un discours qui devient totalement incompréhensible. Je me délecte simplement de ce spectacle surréaliste, tout en ayant de la peine pour elles. Elles agissent de la sorte pour gagner un peu d'argent et je mets ma main à couper que dans la vie, elles sont douces comme des agneaux.

— Alors, tu as fait un choix ?

Les deux lutteuses me regardent, le combat est fini. Elles en appellent à mon jugement pour trancher. Je n'ai rien écouté.

— Euh… c'est que… j'ai déjà une Sécurité sociale !

Oui, évidemment, c'est une bonne excuse. L'une d'entre elles, visiblement déçue et considérant qu'elle n'a plus de temps à perdre avec moi, s'en va sur-le-champ. L'autre me laisse partir au bout de quelques minutes, tentant cependant une dernière fois de me faire croire que parfois, deux protections sociales valent mieux qu'une et que la mienne n'est peut-être pas la meilleure et *donc si tu voulais bien reconsidérer ton choix un instant, tu te rendrais compte que…* blabla.

Devant une plaidoirie si dénuée de sens, je m'écarte pour rejoindre la file. Il est 14 h 30, c'est l'instant de mon rendez-vous, mais cela ne se fait certainement pas de passer devant tout le monde, même avec de très bonnes explications, pour entrer dans le secrétariat. Je décide donc d'attendre sagement et prends place derrière un mec immense. Je lorgne sa convocation, la même que la mienne. Il y est écrit « 14 heures » au feutre rouge en plein milieu de la feuille. 14 heures ! Mais depuis combien de temps est-il là ?

Sur le côté, j'entends les voix des habitués, des « vieux » de quatrième ou cinquième année, qui râlent devant l'immobilité de la queue. Cela doit être la même chose tous les ans. Mais qu'importe, je n'ai ni l'envie ni l'énergie de m'énerver aujourd'hui. Je ne pique donc pas de crise, ni ne participe à la protestation générale.

Au bout d'une demi-heure, je commence tout de même à me demander si l'on ne m'a pas oubliée. J'intercepte au vol un homme avec un badge portant le sigle de l'université.

— Veuillez m'excuser, mais j'avais rendez-vous à 14 h 30. Ça fait bientôt une demi-heure que j'attends.

Tout en parlant, j'agite ma convocation sous ses yeux. Sans même y jeter un coup d'œil, il me répond d'un ton méprisant :

— Oui, mademoiselle, comme tout le monde ici.

— Donc ? Je continue d'attendre ? Je vais vraiment passer aujourd'hui ?

— On fait ce qu'on peut.

« On fait ce qu'on peut... » Ce n'est pas une réponse, ça ! Je viens juste d'avoir ma première confrontation avec le service administratif de l'université et ce n'est pas vraiment une victoire, ni un soulagement.

Devant une réponse si évasive, je me décide à attendre encore. Je me reproche intérieurement de ne pas avoir amené de bouquin, j'aurais passé le temps intelligemment. Je fouille quand même dans mon sac, mais rien, pas même un journal, ou un dépliant stupide à lire. Je regrette d'avoir envoyé les deux filles bouler si vite ; j'aurais pu au moins leur prendre une brochure, cela m'aurait occupée pendant cinq minutes.

Stupidement, je me suis faite belle aujourd'hui. J'ai mis des chaussures à talon très vieilles, comme si j'allais à un rendez-vous important. Mais maintenant, debout dans la file, je me déteste d'avoir fait un choix pareil. Si j'osais, je me mettrais pieds nus.

Après une heure et demie d'attente, j'atteins enfin le secrétariat. Je regarde tous les guichets occupés pour voir qui libérera en premier une place pour moi. Je marmonne des mots, je suis fatiguée de cette journée. Ma bonne humeur s'est envolée, je veux juste récupérer ma carte et m'en aller.

Une jeune femme me fait enfin signe. Je me rue sur elle, le sourire aux lèvres, heureuse de savoir que j'en aurai bientôt fini. Elle me regarde comme si je venais de lui faire une blague vaseuse qui ne fait rire que moi. Pas vraiment coopérative pour redonner un coup de peps, celle-là !

Arrive le moment délicat de l'addition.

– Vous réglez par chèque ?

Oui, c'est ma mère qui m'a fait le chèque la semaine dernière. Un chèque en blanc. Je l'entends encore me dire : « Attention, Laura, tu fais très attention à ne pas le perdre ! Imagine un peu si quelqu'un venait à le trouver ! » J'ai toujours eu la notion de l'argent, et dès que ce chèque s'est trouvé dans ma main, j'ai mesuré le pouvoir qu'il possédait. Je l'ai minutieusement rangé dans une pochette, que j'ai ensuite placée dans le tiroir de mon bureau qui ferme à clé. Je suis la seule à pouvoir l'ouvrir, et même si je fais confiance à mon petit ami avec qui j'habite, je préfère prendre mes précautions. On ne sait jamais.

– Oui, par chèque !

– Donc, comme vous n'êtes pas boursière, mais que vous avez une Sécurité sociale étudiante, cela nous donne un total de... 404 euros 60 !

Quel total ridicule ! Je lui tends le chèque en tentant de cacher ma grimace. Sans un mot, elle tamponne, griffonne des signes partout sur mes papiers et me désigne le guichet des cartes étudiantes. Le tout est plié en deux minutes.

L'homme qui s'occupe des cartes n'est pas plus aimable et m'arrache presque mon certificat de scolarité des mains. En un geste mécaniquement réglé, il imprime ma carte étudiante sur du plastique, me la tend et arrache la feuille d'après.

Je m'en fous à présent, j'ai enfin ma carte étudiante. Ça y est, une nouvelle page de ma vie s'ouvre ! Je suis confiante, sereine, je tiens mon avenir entre les mains, sur ce stupide bout de plastique.

Laura D. 1re année de LEA espagnol.

La classe.

Je reprends le chemin du métro, apaisée.

Chapitre 2

L'exigence

8 septembre 2006

Je passe le seuil de mon appartement, où je vis avec mon petit ami Manu, après une journée de travail au restaurant. Nous nous fréquentons depuis un an et nous avons emménagé ensemble il y a de ça deux mois.

C'était l'époque où je cherchais désespérément une solution pour mon logement de début d'année. Je n'avais pas un rond, et mes parents ne pouvaient pas m'aider financièrement. En plus, ils n'habitent pas à V. Depuis mes résultats du bac, je savais que je devrais y étudier, quant à moi. Manu y logeait déjà depuis le début de ses études de physique et je me suis réjouie à l'idée de le rejoindre dans cette ville. J'ai alors commencé mes recherches pour un appartement. J'ai écumé le Crous et ses petites annonces pour trouver une chambre de bonne. Je me suis vite rendu compte qu'un vrai appartement était beaucoup trop cher, voire totalement inabordable. Je voulais juste un toit, mais même cela me semblait inaccessible. Je n'espérais rien de luxueux. De toute façon, mes finances ne me le permettaient pas.

Je me trouvais dans une impasse. N'étant pas boursière, je n'avais aucune aide de l'État et mes parents ne pouvaient décemment pas verser 200 euros en loyer mensuel. Je ne touchais pas d'aides au logement non plus. À part trouver un travail ou renoncer à mes études, je ne voyais aucun moyen de m'en sortir. Le Crous favorisait les étudiants boursiers pour le logement en chambre étudiante. Beaucoup d'étudiants travaillent en parallèle, mais ce sont souvent les mêmes qui échouent aux examens ou lâchent les études en cours d'année. Je ne pouvais pas mettre un terme à mes études, je savais que je jouais mon avenir. Abandonner alors pour un travail signifiait tirer un trait sur mes ambitions.

Je continuais de chercher frénétiquement un miracle dans les pages des journaux gratuits où il y avait des annonces. Parallèlement, je suis même allée dans des foyers d'accueil pour me renseigner. J'essayais de me convaincre que c'était la seule chance d'étudier qu'il me restait et qu'une fois là-bas, je pourrais essayer de trouver autre chose. Mais l'idée de rester dans un foyer la nuit me faisait frissonner, cette situation me paraissait tellement rabaissante.

J'étais désespérée de ne trouver aucune solution satisfaisante. Un jour où je pleurais de rage, Manu a sauté sur l'occasion.

– On peut habiter ensemble ! Ce serait génial ! À nous deux, on pourrait trouver un loyer pas trop cher et on serait tout le temps ensemble !

Ses yeux brillaient. L'idée me plaisait, mais mes difficultés financières me bloquaient.

– Manu, enfin je ne peux pas, je n'ai pas d'argent ! J'en ai à peine pour une chambre de bonne, alors un appartement à deux !...

– Tu pourras trouver un travail à côté de tes études, la fac ne te prendra pas tant de temps que ça !

J'ai émis des réserves. Manu vient d'une famille relativement aisée et ne se rend parfois pas compte de toutes les dépenses auxquelles je dois faire face. Pour me convaincre que je pourrais arriver à conjuguer études et travail rémunéré, Manu m'a montré le site de l'université où est affiché le volume horaire des cours. J'en avais beaucoup, mais c'était jouable. J'ai été séduite par ce petit bout de rêve que Manu m'offrait.

– Tu vois, tu peux y arriver, c'est sûr ! Allez dis oui, ce sera génial d'être ensemble tout le temps ! Et au fond, tu n'as pas le choix !

C'est vrai que je n'avais pas vraiment le choix. Je lui ai sauté de joie dans les bras. Manu m'a donc accueillie dès le lendemain dans son appartement. Pour moi, c'était le grand luxe. Un appartement avec chambre à part dans le centre de V., je me sentais comme une princesse dans ce palais ! J'ai déposé mes deux lourdes valises dans l'entrée et je me suis mise à virevolter dans l'appartement, en l'entraînant dans ma danse.

Mes parents ont été soulagés de cette solution, même s'ils n'aimaient pas beaucoup Manu. Ils préféraient cela à savoir leur fille faisant un boulot naze, ou pire, dormant dans la rue.

J'ai travaillé pendant tout l'été dans un restaurant en bas de chez nous, pour pouvoir au moins payer les courses alimentaires. Le peu qu'il me resterait en excédent me constituerait un petit argent de poche.

C'est notre deal, lui paye le loyer et les factures, et je me charge du reste, compte tenu de ma situation financière. En fait, même s'il ne me le dit pas, je sais pertinemment que ce n'est pas lui qui paye le loyer. Sa mère lui verse tous les mois de quoi tout régler, en plus d'un gracieux argent de poche. Je ne dis rien vis-à-vis de cela, je l'aime trop et, habitant chez lui, je considère normal de participer aux dépenses dans la limite de mes moyens. Je me débrouille comme je peux. Parfois, quand je rentre chez mes parents, j'embarque ce que je trouve dans le frigo ou ce que ma mère me donne. Cet été, tout ceci fonctionnait parfaitement. Nous étions heureux comme cela, nous nous concoctions des petits plats en amoureux et parfois on sortait avec des amis boire un verre. La plupart du temps, nous restions devant la télé, moi blottie dans ses bras, lui toujours avec un joint à la bouche. Je croquais la vie à pleines dents, avec mon amoureux à mes côtés, tout me semblait tellement plus facile.

Ce soir, je rentre épuisée du travail, après deux heures supplémentaires qui, je le sais, ne me seront pas payées.

Laura D.

Je me fais totalement exploiter avec ce job, mais c'est la seule solution que j'ai trouvée provisoirement pour pouvoir assurer une participation financière. Je sais aussi qu'avec ce travail, comme ça toute l'année, je serais sans cesse fatiguée, mais pour l'instant, je ne peux pas vraiment faire mieux. Je trouverai autre chose quand je tiendrai mon emploi du temps, quand je saurai exactement à quelle heure j'ai cours.

Manu est là, devant la télé. Je lui lance un « bonjour » plein de vitalité tandis que je m'installe à côté de lui pour lui coller un énorme baiser sur la bouche. Quelque chose de bizarre se passe, il ne répond pas à mon enthousiasme.

— Qu'est-ce qui se passe ? Tout va bien ?

— Oui, ça va, répond-il évasivement.

— Tu es sûr ? Ça n'a vraiment pas l'air…

Manu éteint la télé et me regarde enfin. Il hésite un instant, puis se décide soudain :

— Laura, on va habiter ensemble cette année et je veux que tu participes au loyer.

Je fais une pause tout en continuant de le fixer.

— Oui, je comprends. Mais je ne gagne pas beaucoup au restaurant, tu veux que je te donne combien ?

— La moitié du loyer, 300 euros. Tu comprends, je ne vais pas pouvoir assurer tout seul…

Tout seul ! Quel menteur ! Il sait très bien que je gagne tout juste cette somme avec mon boulot de serveuse et qu'une fois que je la lui aurais versée, il ne me resterait rien. Pour me redonner du baume au cœur, je me dis que

31

c'est l'occasion ou jamais d'arrêter d'être serveuse et de trouver un autre job.

— Très bien, je vais devoir me trouver un autre travail, je pense.

— Oui, je pense que tu as raison. Puis pour les courses, on les fera à tour de rôle toutes les deux semaines, ça te va ?

Il me demande en plus de faire toutes les courses ? Je n'en reviens pas !

Le manque d'argent place toujours les individus dans une position tellement embarrassante qu'ils n'osent pas répliquer. Je me contente d'acquiescer :

— OK, comme tu voudras.

Je m'assois sur le canapé et allume la télé, pour ne pas avoir à parler. C'est le seul moyen que j'ai trouvé pour couper court au silence gêné qui s'est établi entre nous. Le soir, je m'endors dans ses bras, pour me persuader que ces histoires d'argent sont normales et ne nous sépareront pas.

Deux jours plus tard, je signe dans une boîte de télémarketing pour un travail à mi-temps.

Chapitre 3

La rentrée

17 septembre 2006

Mon emploi du temps en main, je cours pour ne pas rater mon premier cours. Je sors à peine du secrétariat où je viens de faire mes inscriptions pédagogiques. Moi qui me croyais débarrassée de toutes obligations administratives après l'attente interminable de l'autre jour, j'avais tout faux !

Après les inscriptions administratives, il m'a fallu passer par le bâtiment des langues vivantes pour me faire enregistrer aux cours. Je n'ai qu'une vingtaine d'heures de cours réparties sur la semaine. J'attendais impatiemment cet emploi du temps pour pouvoir organiser et structurer ma vie. Je vais pouvoir continuer à travailler à côté de mes études. Dès demain, je pourrai appeler la boîte de télémarketing pour que l'on revoie mes horaires de travail.

Toute cette procédure a été plutôt rapide, on m'a rapidement remis mon emploi du temps mais je suis à présent en retard pour mon premier cours. Un coup d'œil

Mes chères études

Mes chères études

sur le papier m'apprend que je dois aller au troisième étage pour un cours de civilisation espagnole. Je monte les escaliers en courant, je suis pressée d'apprendre.

Je rentre dans la salle doucement, les autres étudiants sont déjà installés. Je bredouille un « veuillez m'excuser » inaudible. Le professeur me lance un regard fugitif, puis reprend sa liste d'appel.

– Vous êtes ?

– Laura, Laura D.

Après avoir gribouillé quelque chose sur son papier, il me fait signe de m'asseoir. Je prends place à côté d'une autre jeune fille. Le sexe féminin est très largement majoritaire dans la salle, et certainement dans toute la promotion.

Le professeur nous demande de remplir une fiche pour mieux nous connaître. Ah, les fameuses fiches ! Jusque-là, pas vraiment de différence avec le lycée, ils allaient certainement nous en demander une pour chaque cours. À la fin de la semaine, je finirai certainement par y répondre en quelques secondes seulement.

La fiche inclut une case « Projets professionnels ». Je m'arrête longuement sur cette question. Est-ce que je sais ce que je veux vraiment faire ? Je veux être dans le business, ça oui, mais dans quoi exactement ? J'ai énormément de convictions en ce qui concerne les responsabilités qui me conviendraient tout à fait, mais existe-t-il une dénomination donnée, un travail précis pour cela ? Je note tout ce dont je rêve, je confie toutes

34

mes attentes à cet inconnu, toutes les espérances que représente l'université pour moi. Il manque quelque chose.

Je mâche mon crayon en levant les yeux vers le plafond. Puis, après quelques minutes, j'inscris tout en bas de mon inventaire de rêves pour le futur :

Vivre pleinement.

Ce n'est bien sûr pas la réponse que le professeur attend, si tant est qu'il en attende une en particulier, mais c'est celle qui me correspond le mieux.

Nous commençons le cours, et, à chaque minute qui passe, je remercie le Ciel intérieurement de m'offrir le cadeau d'être dans cette salle. Ma mère a dû débourser plus de 400 euros pour que je me trouve ici mais elle l'a fait sans hésiter, sachant très bien que mon avenir en dépendait, elle qui n'a toujours voulu que le meilleur pour ses filles. Je vais apprendre, je vais réussir.

Le cours est uniquement en langue hispanique. Mon père est espagnol, et même s'il ne m'a jamais parlé dans sa langue maternelle, j'ai appris l'espagnol pendant nos vacances passées dans sa famille.

Le prof nous fait passer une feuille avec la liste des livres pour cette année.

— Je vous demande beaucoup de rigueur, si vous voulez réussir, il vous faudra les lire tous et très attentivement en prenant beaucoup de notes.

Je bois ses paroles. Oui, bien sûr que je les lirai tous, j'ai toujours adoré lire, ce n'est pas un problème !

— Il y en a certains que vous ne trouverez pas à la bibliothèque. Je les réclame, mais ils n'arrivent toujours pas, alors il vous faudra certainement les débourser de votre poche, vous mettre d'accord pour vous les prêter…

Ce point m'enchante beaucoup moins. Les livres en langue originale sont toujours très chers, au minimum 15 euros, et si j'espère pouvoir arriver à m'en payer un ou deux, je ne pourrai assurer tous ces frais en plus.

Je regarde la fiche, craignant son exhaustivité. Je grince des dents en découvrant une dizaine de livres à se procurer. Je la range prestement dans mon sac, je ne veux pas gâcher ma journée. J'ai tout le temps d'y penser.

– De plus, je n'accepte pas les absences répétées non justifiées. Au bout de trois, je ne vous autorise pas à passer l'examen de ma matière.

C'est clair, net et précis. À moi de choisir si je veux vraiment réussir ou non. Les cartes sont entre mes mains.

L'heure passe rapidement, je ne me suis pas ennuyée une seule seconde, pas comme au lycée où je regardais ma montre toutes les cinq minutes. Je me rends au cours suivant où je découvre pour la première fois un vrai amphithéâtre. Je suis si impressionnée que j'en ai le souffle coupé. Je ne suis pas la seule, beaucoup s'arrêtent quelques secondes pour admirer l'immense salle. Seuls les redoublants se hâtent de choisir une place. Eux, c'est comme pour les inscriptions, ils connaissent, ils peuvent se permettre d'être blasés.

Je contemple les lieux, je sais déjà que je vais adorer y apprendre. Je ne serai qu'une aiguille bien cachée dans une botte de foin, on ne me remarquera pas, on ne me connaîtra pas. Les professeurs n'interrompront pas leurs cours pour me faire une réflexion sur mon dernier devoir. L'université est un service : on nous offre un cours, auquel nous sommes libres d'assister ou non, que nous sommes libres de prendre comme nous l'entendons. L'université responsabilise, je ne suis certes qu'un numéro parmi tant d'autres, mais je dois à présent choisir de l'assumer ou non. J'aime cette ambiance où l'on nous considère déjà comme des adultes.

Je l'ai enfin, ma véritable cassure avec le lycée. Même après un jour passé ici, je sens que tout va être différent. Ma terminale m'a laissé des traces indélébiles, des souffrances auxquelles je n'aurai pas à faire face ici, j'en suis convaincue.

Pendant mon année de terminale, je me souviens d'une fois où un professeur d'histoire m'a publiquement humiliée devant toute la classe en m'attaquant personnellement. Après un contrôle surprise où je venais de récolter une note très médiocre, ce dernier m'a taxée d'« incapable », ce à quoi j'ai répondu par un battement de cils des plus indifférents. Je pouvais parfaitement encaisser ses réflexions sur ma petite personne, cela ne me faisait en réalité ni chaud ni froid, car ce professeur ne m'intéressait pas le moins du monde et m'a toujours traitée comme une gamine. Le drame était advenu à la phrase suivante.

– Pas de réaction, Laura ? Je ne vous félicite pas, il me semble que vous devriez très sérieusement reconsidérer votre avenir, qui se fait bancal à l'heure actuelle.

Toute cette cruauté pour ma première et unique note en dessous de la moyenne ! Mais il ne s'est pas arrêté là.

– Reconnaissez-le, vous êtes très dissipée, et vous ne prenez pas correctement vos cours. On ne récolte que ce que l'on sème, Laura. Vos parents me semblent bien irresponsables…

À l'écoute du mot « parents », mon sang n'a fait qu'un tour. Comment cet homme pouvait-il se permettre de juger ma famille, sur une banale note qui plus est ? Je suis devenue folle en une seconde. Ma voisine de table a essayé de me retenir, mais trop tard, la rage coulait déjà dans mes veines, et avant même que le professeur inquisiteur n'ait eu le temps de répliquer, je faisais valdinguer la table et ce qui se trouvait dessus. Les crises d'angoisse dont je suis victime n'ont jamais été aussi fortes que ce jour-là. J'ai pris mon sac à la volée et je suis partie en courant.

Le lendemain, je me suis inscrite au baccalauréat en candidate libre. Je ne supportais tellement plus l'ambiance enfantine de ce lieu, alors je l'ai tout bonnement quitté. Je sais à présent que j'ai réagi excessivement et que j'aurais dû remballer ma fierté. Mais à ce moment-là, j'en étais incapable. Mes parents n'ont pas du tout compris et pensaient au début à une crise passagère. Mais en voyant que je ne me levais pas le matin, et en recevant ma confirmation d'inscription en tant que candidate libre, ils ont compris le sérieux de ma décision. Ils continuaient néanmoins de me réveiller tous les matins, me secouant pour m'envoyer au lycée, mais je n'y allais pas. Ma mère m'a suppliée de reprendre les cours, elle en a même pleuré.

– Tu es complètement inconsciente ! Tu vas tout gâcher ! Laura, je t'en prie, les études sont trop importantes pour les laisser tomber comme ça, sur un coup de tête ! Tu ne feras rien sans ton bac ! Tu ne peux pas laisser tomber, pas à trois mois du bac !

Je n'ai jamais avoué à mes parents la raison de ma décision. Ils auraient été trop tristes. Je secouai juste la tête en répétant que je n'y retournerais plus jamais. C'est à partir de ce moment-là que mon père ne m'a plus adressé la parole. Nous parlions déjà peu, mais je venais d'en rajouter une couche, je l'avais profondément déçu. Même maintenant, je sens tout de suite quand il veut me prendre dans ses bras et me dire qu'il m'aime, mais il s'en empêche, et s'en va doucement, sans dire un mot.

Pendant trois mois, j'ai travaillé alors chez moi, m'informant des cours et des livres au programme. Ma mère me donnait des coups de main en cachette de mon père qui n'approuvait pas – et n'approuverait jamais – ma décision. En juillet, j'ai obtenu mon baccalauréat avec mention « assez bien ». Quelle fierté j'ai pu ressentir ce jour-là ! Ma mère a pleuré de joie quand je le lui ai annoncé au téléphone. Le soir, mon père n'a pas davantage prononcé un mot, et nous avons dîné en silence, car il était hors de question que l'on fête quoi que ce soit.

J'ai eu beaucoup de chance, je m'en rends compte aujourd'hui. Est-ce vraiment de la chance ou une motivation, une envie de réussir démesurée ? À ce moment précis, dans cet amphithéâtre, je sais que ce genre de choses ne pourra pas m'arriver. Les professeurs ont, en règle générale, trop d'élèves pour se souvenir de tous les noms, pour les considérer, et donc les insulter. Ici, on travaille pour soi uniquement.

J'enchaîne plusieurs autres TD dans la journée : traduction, laboratoire de langues. Après cinq heures de cours, je reprends le chemin de mon nid douillet où mon amour m'attend. C'est vraiment une belle journée, comment pourrais-je être plus heureuse ? J'ai un petit ami qui m'aime et avec qui j'habite dans le centre de V., j'étudie, et même si je n'ai pas beaucoup d'argent, je suis en bonne santé. Que demander de plus ?

Je monte dans la rame de métro bondée. Je vais réussir cette année, je le sais, je le sens, je le veux.

Chapitre 4

Le quotidien

4 octobre 2006

Je rentre épuisée des cours. Je finis à 20 heures le mercredi soir, je dois ensuite prendre le métro pendant environ trois quarts d'heure. Je suis fatiguée de la veille : j'ai terminé le travail à 21 heures. Dans les transports, je pense à Manu, il me tarde de le retrouver. Je pense au petit plat qu'il m'aura préparé, peut-être aura-t-il aussi dressé la table et mis quelques bougies.

Ce soir, en rentrant, je sais aussi que nous allons parler de ce mois écoulé ensemble. Je redoute ce moment parce que je sais que nous avons beaucoup de choses sur le cœur que nous taisons. Notre vie ressemble aujourd'hui de plus en plus à une colocation. Nous ne nous voyons que le soir, et lorsque je rentre, j'avale un repas vite fait pour me mettre ensuite à étudier mes cours.

Au début, Manu s'en contentait, faisait parfois une légère moue mais me disait seulement :

– Allez, va travailler, tu as du boulot.

Lui passe la soirée devant la télévision, ne travaillant que très peu pour la fac. Je m'exile en silence dans la chambre en l'embrassant une dernière fois.

Manu fait partie de cette tranche infime de gens qui ont des facilités naturelles. Il excelle dans son domaine, sans que je l'aie jamais vu réellement bosser. Je suis jalouse de lui parfois, de son intelligence et de sa capacité à gérer les choses comme elles viennent. Moi, je travaille souvent jusqu'à très tard dans la nuit.

Puis quand il veut se coucher, Manu rentre gentiment dans la chambre : c'est le signal que je dois m'en aller travailler dans la cuisine, sur la table en plastique. Manu dort déjà profondément quand je le rejoins dans le lit. À mon tour, je m'allonge et tombe de fatigue. Au matin, c'est le trajet pour l'université ou pour mon boulot, en fonction du jour de la semaine.

Jusqu'à présent, cette routine m'a plu, car je l'ai vécue avec lui. À la boîte de télémarketing, je gagne environ 400 euros. Je lui ai versé les très attendus 300 euros de loyer pour le mois de septembre, faisant semblant de ne pas savoir qu'il allait les dépenser avec ses potes en soirée, à fumer notamment. Il ne me reste maintenant pas grand-chose pour finir le mois, pas moyen de m'amuser un peu, de faire un peu de shopping, ou même de sortir avec mes amies. Mais pourtant je ne veux rien gâcher, notre histoire est trop belle. Je n'ai jamais aimé quelqu'un autant que Manu.

Mais très vite, en à peine un mois, les choses ont tourné au vinaigre. Lassé de devoir passer toutes ses soirées devant la télé, Manu s'est mis à beaucoup sortir et à rentrer parfois au petit matin. Je m'en accommodais au début, n'ayant pas mieux à lui offrir entre mes bouquins et mon job. Je suis contente aussi de garder mon indépendance et ma liberté. Mais depuis peu, le temps me semble vraiment long. Très souvent le soir, lorsque je rentre, Manu est déjà parti rejoindre ses potes. Je peux savoir s'il est parti longtemps ou non : il ne reste parfois qu'une fin de joint encore fumante dans le cendrier du salon. Il ne me consacre que peu de temps. Exténuée par mon rythme de vie, je n'ai pas la force ou le courage de l'attendre et je m'endors quasiment tous les soirs seule dans notre lit. Je suis souvent tentée de me poser sur le canapé, à finir son joint, mais je ne le fais jamais. D'abord, parce qu'il pourrait me le reprocher, mais surtout parce que ça m'empêcherait de bien bosser.

Au fur et à mesure que les jours passent, Manu est aigri et de plus en plus radin à mon égard. Tout son fric est consacré aux sorties et à la fumette. Je pensais me faire de fausses idées au début, ne pouvant me résoudre à cette réalité. Mais les faits sont là, Manu supporte très mal ce qui n'est plus qu'une banale colocation, et me le fait ressentir tous les jours. Je ne peux plus prendre la vie à la légère comme je le faisais auparavant sous le toit de mes parents.

Pire encore, j'ai la nette impression que Manu me nargue. Il arbore de nouveaux vêtements en permanence ; bref, il peut se permettre de faire tout ce qui m'est impossible. Un écart s'est creusé entre nous, un écart qui n'est plus seulement financier, même s'il ne repose au départ que sur l'argent. Je nous sens nous éloigner chaque jour un peu plus l'un de l'autre, sans pouvoir rien y faire.

Mais ce soir, nous avons prévu de nous offrir un dîner en amoureux. Je le lui réclame depuis une semaine maintenant, sentant bien que nous avons besoin de nous retrouver tous les deux. Il a cédé, allant même jusqu'à me proposer de cuisiner lui-même, pour que je n'aie plus qu'à mettre les pieds sous la table. J'ai pris de l'avance sur mon travail de la semaine exprès. En quittant les cours, je me suis remaquillée dans une vitre du métro pour être jolie en arrivant. Pas grand-chose, juste un peu de crayon khôl sous les yeux.

Quand je passe le pas de la porte, je sens que quelque chose cloche. L'appartement est bien trop silencieux pour que Manu y soit. Je dois me rendre à l'évidence, il n'est pas là. J'inspecte la cuisine, essayant de me persuader qu'il est sorti acheter du pain, mais la pièce est vide, et aucun indice ne laisse supposer un quelconque début de repas. Mon ventre gargouille, j'ai très faim. Comme je n'avais pas assez d'argent pour m'acheter un sandwich à midi, je suis restée à la bibliothèque pour étudier.

Je m'assois en face de la télé, et je pleure. L'heure tourne, et Manu ne rentre pas. J'essaie alors de travailler, mais je n'arrive pas à me concentrer. Je ne peux même pas regarder la télévision, ma rétine n'imprime pas les images qui défilent. Appeler une copine ? Pour quoi faire ? Elle se moquera de moi et me dira que les mecs sont tous les mêmes, que l'on ne peut pas compter sur eux. Manu n'est pas comme ça, Manu m'aime profondément et se soucie de moi.

Mais minuit approche et Manu n'est toujours pas là. J'ai trop d'orgueil pour l'appeler sur son portable, et puis de toute façon je n'ai plus de crédit. J'ai fumé tout mon tabac, et le paquet de feuilles à rouler traîne sur la table. Pourquoi me fait-il ça ? Pourquoi à moi ? Je ne trime pas assez comme ça ? Après seulement un mois, je n'en peux déjà plus, je suis en permanence épuisée, pour des radis en plus, car je ne vois quasiment pas la couleur de mon argent.

Soudain, une clé tourne dans la serrure. Je retiens ma respiration, je n'ai même pas imaginé que je ferais face à Manu ce soir. Je sèche rapidement mes larmes du dos de la main, je ne veux pas le regarder comme ça, mon maquillage a dû couler.

La seconde d'après, Manu est dans la cuisine. Je le fixe, il me regarde aussi de ses yeux rougis par les joints et, tout naturellement, me dit :

– Comment ça va ? Tu n'étudies pas ?

J'ai l'impression que mon corps va exploser ! Il ne peut pas être sérieux. Il est stone, c'est évident.

– Quoi ? Tu te fiches de moi ? Où tu étais ? Tu sais que je t'ai attendu pendant toute la soirée ? On ne devait pas dîner ensemble ce soir ?

Je hurle, je ne me contrôle plus. Je suis si fatiguée qu'à mesure que les mots sortent de ma bouche je me demande où je trouve toute cette énergie.

Manu baisse la tête, il sait qu'il m'a fait du mal.

– Écoute, Laura, je ne sais pas ce qui s'est passé, mais je ne voulais pas, je te jure. J'étais là, dans la cuisine, et je comptais vraiment te préparer à dîner. Puis j'ai ouvert le frigo, et j'ai vu que t'avais rien acheté. C'était ton tour de faire les courses, non ? Oui, c'était ton tour et tu ne l'as pas fait.

– Alors c'est pour ça ? Tu décides de me laisser pleurer toute une soirée juste pour ça ? C'est ta punition pour moi ?

– Non, Laura, ce n'est pas seulement ces courses, c'est un tout. Je sais que tu n'as pas d'argent, mais on s'est mis d'accord sur la division des frais. En plus, je viens de recevoir la note de gaz aujourd'hui, ça en a rajouté.

Il me regarde droit dans les yeux, et ne crie pas du tout. Malgré toute ma bonne volonté, je ne comprends pas ce qu'il me dit, je ne vois pas comment il ose me dire cela alors que je fais tout ce qui est en mon pouvoir pour l'aider financièrement. J'ai toujours été gênée quand il s'agissait de parler d'argent.

– Et comme la dernière fois, c'est moi qui allais faire les courses, parce que sinon nous n'allions rien avoir à manger. J'en ai eu marre de céder, j'en ai eu marre que tu te reposes sur moi en permanence. Alors je suis parti faire un tour, voir deux ou trois potes, pour me changer les idées…

Je reste silencieuse, je ne vois vraiment pas ce que je pourrais ajouter. Manu a vraiment atteint le summum de sa radinerie. Il me réclame de l'argent pour le loyer, les courses, les factures, ce qui donne un montant avoisinant les 450 euros par mois. Je n'ai pas assez avec mon salaire, alors je comble avec le peu d'argent de poche que me donne ma mère par mois. Pas grand-chose ; le peu qu'elle peut se permettre, elle me le donne. J'ai depuis un mois arrêté de payer le forfait de mon téléphone, faisant passer les frais de l'appartement en priorité dans mes dépenses. En plus de cela, je travaille quinze heures pas semaine dans cette boîte de télémarketing, vingt heures à la fac, plus les heures passées à réviser. Lui ne travaille même pas, et l'argent que sa mère lui met sur son compte chaque mois pour le loyer, il le dépense en joints et en fringues, et encaisse également ma part. Bref, je ne me considère pas comme une profiteuse dans cette situation, je participe et mérite tout autant cet appartement que lui.

Mais malgré tout, je l'aime comme une folle, et à cet instant, je ne le déteste même pas. Il m'impressionne trop pour que je trouve quelque chose à redire. J'ai honte de ma faiblesse pour les beaux visages aux yeux ravageurs.

Manu me prend finalement dans ses bras, doucement, et j'accepte son étreinte. Le moment n'est pas du tout dramatique, je me sens bien dans ses bras, c'est tout ce qui compte. Il me relâche quelques minutes après, m'observe avec ses grands yeux noirs et me dit soudain :

— Écoute, je crois qu'à l'avenir, pour éviter ce genre de situations, nous allons faire nos courses séparément, chacun pour soi. Ce sera plus facile pour tout le monde, et nous n'aurons plus de disputes de ce genre.

Je n'en reviens pas. Alors tout ce qui s'est passé ce soir ne suffit pas ? Il veut encore en rajouter une couche ?

– Pardon ?

– Oui, je crois vraiment que ce sera mieux pour nous. Et puis avec nos emplois du temps, on ne mange quasiment jamais ensemble, et on n'apprécie pas les mêmes choses, de toute façon.

Je ne dis toujours rien, mais je n'en pense pas moins. Que puis-je ajouter, après tout ? Je ne vais pas essayer de convaincre le plus grand pingre de la terre. Le seul fait que cela le dérange me suffit à comprendre que je ne peux rien y changer. Il est radin, trop gâté, et il le restera un bon moment. Il ne se rend cependant pas compte de la douleur qu'il m'inflige. Mon couple est en train de s'effondrer.

Je hoche la tête, me force à sourire, mais lui comme moi savons que quelque chose ne va pas entre nous. Quelque chose en rapport avec l'argent. Peut-être quelque chose en rapport avec une différence de classe sociale, qu'il ne supporte pas finalement. Sa mère dit souvent que je ne suis pas assez bien pour lui.

Le lendemain, quand je rentre du boulot, il m'a fait de la place dans le placard où l'on met normalement les boîtes de conserve.

Chapitre 5

La faim

26 octobre 2006

Ma mère me passe le plat de poulet en ne me lâchant pas des yeux. Elle n'a pas arrêté depuis le début du repas. C'est les vacances de Toussaint et je rends visite à mes parents pour deux ou trois jours, je n'ai pas encore décidé combien de temps exactement je vais rester. Nous sommes à table avec ma mère, mon père muet, et ma sœur qui n'arrête pas de parler.

– Il est bon ce poulet, hein Laura ? me dit ma mère.

Je sais bien qu'elle ne quitte pas du regard mes gestes : j'enfonce ma fourchette dans une belle cuisse, et à l'aide de l'autre main, je l'attrape pour la dévorer comme un ogre. Je mange comme quatre aujourd'hui, j'ai vraiment très faim. Ce dîner est sans nul doute le plus gros festin que j'aie fait depuis un mois.

– Oui, il est délicieux, je me régale.

Ma sœur est la seule à faire la conversation, et je suis la seule à vraiment l'écouter. Je sais que ma présence gêne mon père dans ses pensées. Il ne parle déjà pas beaucoup, mais lorsque je suis là, il devient muet comme une carpe.

Nos relations ont toujours été difficiles, nous nous sommes toujours aimés, mais en silence. Mon père est quelqu'un qui force le respect. À vingt ans, il a quitté son Espagne natale pour fuir la dictature et la misère et tenter sa chance en France. Il a été élevé dans une famille très stricte, qui voue beaucoup d'attention au respect de la tradition. Il a toujours gardé cette froideur naturelle envers nous ses filles, particulièrement envers moi, tout comme son père l'avait fait auparavant avec ses enfants. Je l'ai toujours accepté, puisque c'est la manière dont il fonctionne.

Je sais très bien qu'il m'aime, mais il ne me l'a jamais dit, il n'a jamais mis de mots sur ses sentiments. Je suis l'aînée et je sais que j'ai été une enfant très désirée. Mes parents m'ont beaucoup choyée dans ma tendre enfance. Mais au fur et à mesure que je grandissais et que la relation avec ma mère devenait fusionnelle, mon père entrait dans son mutisme, ne sachant probablement pas comment s'y prendre avec sa fille. L'aplomb que j'affichais lorsqu'il voulait me punir lui semblait anormal, irrespectueux. Peu à peu, il s'est enfermé dans une bulle qui revient à m'ignorer. Dès que je me trouve dans la pièce, il ne m'adresse la parole que pour les choses vraiment essentielles. Je sais que je l'ai déçu à plusieurs reprises par mon comportement. Le summum a été atteint avec l'abandon de ma terminale. Nous avons toujours su, ma sœur et moi, qu'il y avait des préférences dans la famille : moi celle de ma mère, elle celle de mon père.

Mais nous n'y pouvions rien, et le fait d'accepter cette évidence nous a permis de ne pas avoir de rancœur ou de jalousie.

Je me rappelle un jour où, à l'âge de 16 ans, je suis partie de la maison pendant un mois. Nous étions dans le salon avec mes parents et ma sœur, et je regardais le canapé sur lequel nous étions assis. C'est un très vieux canapé vert en tissu, que j'ai toujours vu à la maison. Il était si vieux que ma mère avait un jour décidé, alors que j'étais encore bébé, de le teindre en rouge foncé, pour cacher son usure flagrante. Tout en écoutant la télévision, je grattais un endroit de l'accoudoir où la teinture n'avait jamais pris.

J'ai soudain lâché :

– Peut-être que nous devrions le reteindre en vert. Ça fait longtemps maintenant qu'il est rouge et il a besoin d'un coup de jeune.

Mon père a répondu, sans m'accorder un regard :

– Ce canapé n'a jamais été vert.

Il a pris un ton sec et méprisant pour dire cette phrase, comme si je lui racontais la pire idiotie qu'il ait jamais entendue.

– Bien sûr que si, papa, je me souviens encore quand maman l'a teint.

– Ce canapé n'a jamais été vert, je te dis.

J'essayais de lui démontrer pendant quelques minutes que si, que je m'en souvenais très bien. Je me suis même jetée sur les albums photo pour trouver des preuves de ce que j'avançais. En me voyant fouiller les étagères du salon, mon père est entré dans une rage folle et injustifiée.

– Ah, il faut toujours que tu aies raison, toi ! Tu as toujours besoin de faire ta petite maligne, ta madame je-sais-tout !

Il hurlait. Ma mère et ma sœur le regardaient, tétanisées. Je ne bougeais pas non plus, ne sachant pas quoi faire, un album photo à la main.

– Je commence à en avoir marre de toi, de tes manières, de ton comportement. Tu es irrespectueuse des autres, tout tourne autour de toi, de ton petit nombril. Je ne te supporte plus en fait, tu n'es qu'une… une merde ! Voilà, une merde !

Il a lâché le mot dans un souffle et est parti dans la cuisine. Ma sœur a poussé un cri lorsqu'elle l'a entendu. Mon père dans toute sa splendeur, mon père qui n'y va pas par quatre chemins. Mais malgré tout, ça râpe dans ma gorge. Mes poings se sont serrés et je suis partie en courant, tandis que ma mère s'était levée et tentait déjà de me retenir. J'ai pris mon sac à la volée. Ma mère pleurait en me suppliant de ne pas partir, ma sœur s'accrochait à mon bras. Mon père ne bougeait strictement pas de la cuisine.

– Maman, je ne peux pas, je ne peux plus. Regarde comment il est, c'est invivable. Je m'en vais.

– Mais pour aller où ? Comment vas-tu faire ?

– Je trouverai.

Et j'ai trouvé. Pendant un mois, j'ai habité chez une amie, avec ses parents. Ils n'ont pas trop cherché à comprendre, m'ont juste fait un petit bout de place chez eux, leur maison était grande. J'allais au lycée avec mon amie tous les matins, et une fois par semaine, je téléphonais à ma mère pour lui donner des nouvelles.

Je suis revenue au bout d'un mois, je ne voulais pas abuser davantage de la gentillesse de mon amie et de ses parents. À mon retour, mon père m'a ignorée, comme à son habitude. Il a même continué de m'ignorer quand l'affaire s'est tassée. J'en souffrais terriblement, mais je ne savais pas quoi faire pour le lui dire ou le lui montrer. J'ai appris plus tard qu'il avait eu les larmes aux yeux le jour de mon départ.

La situation dans laquelle nous nous trouvons à présent, en ce jour de Toussaint, n'est donc pas exceptionnelle. Ma sœur parle à table, pour briser le silence qui l'embarrasse. Puis elle se lasse de faire toute la conversation et s'arrête. Nous finissons notre repas en silence.

Ma mère me prend à part dans la soirée. Je sais qu'elle a envie de me parler depuis que je suis arrivée.

– Laura, dis-moi, tu manges bien ?

– Oui, maman, tu as bien vu, je me suis resservie deux fois du poulet, ce soir !

– Non, Laura, je ne parle pas de ça. Est-ce que tu manges bien chez toi ? Vous avez assez à manger avec Manu ?

Elle a donc remarqué ce qui est évident. J'ai perdu énormément de poids depuis un mois, depuis que nous avons chacun son placard à bouffe, Manu et moi. Je pesais plus de 60 kilos au début du mois de septembre, j'étais même un peu boulotte, et je suis maintenant descendue à 50. Je rentre tard le soir, fatiguée, je n'ai souvent pas le temps de me préparer à manger parce que je dois étudier. Je cours partout toute la journée, entre la fac, la bibliothèque, mon boulot et l'appartement. De toute façon, je n'ai rien dans mon placard, à part un paquet de pâtes entamé qui traîne depuis deux semaines. Je ne déjeune souvent pas à la fac, et un sandwich finit par peser dans la balance à la fin de la semaine. À force de ne pas manger, je ne ressens plus vraiment la faim. Enfin presque.

Manu, lui, mange souvent dehors avec ses amis. Je suppose qu'il utilise l'argent de ma part de loyer pour se régaler pendant que je suis plongée dans mes bouquins. À part cela, nous nous entendons plutôt bien, pas vraiment de disputes. C'est normal après tout, nous ne nous voyons quasiment pas. Je continue pourtant de l'aimer de toutes mes forces, même quand j'ouvre le placard à nourriture et que je bave d'envie devant sa boîte de pâté ou ses sauces au pesto qui rendraient mes pâtes tellement plus appétissantes.

Un jour, je lui ai pris une tranche de jambon italien, pensant qu'il ne s'en apercevrait pas. Manque de bol, il doit les compter, car il a tout de suite repéré le vol. Je me suis excusée longuement, en lui disant juste que j'avais faim et que je lui en rachèterais. Ce que j'ai fait dès le lendemain, en claquant mon billet de 5 euros qui devait me tenir trois jours. J'aurais pu pousser le vice jusqu'à lui rendre seulement une tranche, peut-être se serait-il aperçu de la stupidité de son comportement. Mais je ne veux pas rentrer dans son jeu, cela ne m'intéresse pas.

Je ne peux définitivement pas raconter tout cela à ma mère, elle s'affolerait et traiterait Manu de tous les noms. Elle me forcerait à revenir à la maison, ce qui est absolument hors de question.

– Ne t'inquiète pas, maman, tout va bien.

– Tu me le dirais si quelque chose n'allait pas, n'est-ce pas ?

– Mais oui, maman, bien sûr ! Ne t'en fais pas.

Elle me regarde d'un œil qui en dit long sur son scepticisme. Elle ne me croit pas, mais elle ne peut rien faire si je ne lui dis pas la vérité.

Deux jours plus tard, quand je repars de chez mes parents, ma mère me donne un sac entier rempli de victuailles, elle y a mis tout ce qu'elle avait pu trouver sous la main. Elle me fait un clin d'œil en me le tendant.

– Rentre bien, ma chérie, fais attention à toi.

Mon père m'a saluée de la main, sans m'embrasser. Nous ne nous faisons plus la bise depuis des années maintenant.

Chapitre 6

La honte

16 novembre 2006

Devant le bâtiment du Crous, j'hésite à entrer. Je ne suis plus très sûre de vouloir y aller. Je me suis mise en retrait, pas complètement devant la porte.

Nous sommes en novembre et il fait glacial. La perte de poids s'est nettement accélérée dans les derniers mois. J'ai l'impression de sentir le froid me transpercer comme jamais il ne l'a fait auparavant. J'ai pourtant bien superposé les couches de vêtements, ce matin. Depuis que je suis si mince, j'ai en permanence froid. Je grelotte partout, même dans les intérieurs : en cours, au travail, et chez moi.

L'hiver approche à grands pas et nous n'avons toujours pas mis le chauffage dans l'appartement. Du moins, *je* ne veux pas le mettre. Manu l'enclenche dès qu'il rentre, avant de se caler comme un pacha dans le canapé. J'attends qu'il s'en aille et je m'empresse de l'arrêter. J'agis ainsi depuis que je dois payer une partie des factures.

L'électricité, l'eau et le chauffage, ça fait beaucoup ensemble ! Manu s'en fout, puisque ce n'est pas lui qui gère ces dépenses-là. Alors il monte le chauffage tandis que moi je le baisse en cachette, incapable de lui demander cette faveur.

Au début, j'étudiais habillée normalement, mais je me suis rapidement rendu compte que le fait de rester assise sur une chaise pendant plusieurs heures sans bouger me faisait sentir le froid quasiment comme si j'étais dehors. Alors maintenant, pour travailler, j'enfile une vraie combinaison : une immense écharpe tricotée par ma mère, une veste de sport en polaire et de grandes chaussettes qui montent jusqu'aux genoux. Manu a ri la première fois qu'il m'a vu ainsi, et moi aussi, quelques secondes en me regardant dans le miroir. Car au fond, la situation n'a rien de drôle. Je me suis finalement habituée à ce surplus de poids sur mes frêles épaules, l'économie d'argent me motive. Je préfère ressembler à une exploratrice de haute montagne plutôt que de devoir payer 50 euros pour une facture qui pourrait être évitée.

Je mets tout l'argent que je peux de côté. Aucune dépense inutile. Pas besoin de préciser que j'ai depuis longtemps arrêté de faire du shopping. Primo, je n'ai pas le temps. Puis, de toute façon, à quoi me servirait-il d'aller baver d'envie devant quelque chose que je ne posséderais jamais ? Je ne tente donc pas le diable et évite soigneusement de faire du lèche-vitrine. Je me suis enfin entré dans le crâne que je ne porterai jamais les derniers vêtements à la mode. Bien sûr, parfois, j'enrage d'envie devant les nouveaux jeans bruts, les nouvelles vestes cintrées, les nouvelles chaussures hors de prix de mes camarades de fac. Je peux simplement les observer, au point que cela en devient gênant, soupirer, et ensuite revenir à mes moutons. Je voudrais être assez forte pour dire que je ne supporte pas toute société de consommation et qu'elle me dégoûte, mais soyons honnête : qui n'a pas de désirs et qui ne se laisserait pas tenter par elle ? Je suis jeune, la publicité est partout : je serais une proie parfaite si j'avais de l'argent.

J'envie ces filles autour de moi dans la classe. Fraîches et reposées, certaines n'ont jamais dû avoir à travailler pour survivre financièrement. Leurs parents gagnent bien assez d'argent pour les entretenir. Parfois, elles doivent aller faire du shopping avec leur mère et manifester leur envie par une moue étudiée face à un vêtement dans un magasin, ce à quoi leur mère répond en dégainant une carte de crédit. Je ne peux pas leur en vouloir, je ferais sans aucune hésitation la même chose. J'envie simplement leur tranquillité d'esprit alors que, de mon côté, je tremble de voir un contrôleur dans le métro, et je me demande sans cesse comment je vais finir le mois. Je tremble quand Manu me demande, l'air de rien, de régler ma part du loyer. Suis-je la seule à vivre cela ? Toutes ces situations sont tellement honteuses, je ne peux pas en parler à mes copines étudiantes. Comment pourraient-elles comprendre ? Alors je décline gentiment leur invitation à déjeuner et m'enferme dans la seule chose gratuite qu'il me reste : étudier.

Tout ceci ne poserait pas vraiment de problème si j'avais de quoi manger à ma faim. L'état des lieux de mon placard à nourriture est toujours aussi triste et les victuailles de ma mère ont peu duré. Des pâtes, des pâtes et toujours des pâtes. Je les regarde au moment de préparer à manger, et j'ai l'impression qu'elles me narguent, comme pour me rappeler que ce soir, encore une fois, je n'aurai pas mieux. Au début, je les accompagnais de sauce tomate en conserve, mais une indigestion nocturne m'en a dégoûtée depuis, et la simple idée de voir des pâtes baignant dans la sauce bon marché me donne des nausées. « Au beurre, ce n'est pas si mal après tout. »

Il y a aussi un pot de Nutella, mon petit bout de bonheur. Je n'en mange pas plus d'une cuillerée à chaque fois, pour le garder le plus longtemps possible. Il me réconforte quand j'ouvre le placard.

À force de crier famine, j'ai arrêté de manger. Je me suis ainsi rendu compte qu'au bout d'un moment, la faim s'envole et le cycle humain reprend son cours tout seul. Au bout de quelques jours de ce régime, je ne sens plus vraiment de douleur. J'ai pris l'habitude de ne pas déjeuner et d'enchaîner mes journées de fac sans rien dans le ventre. Parfois, il fait des bruits bizarres pendant les cours, mais je suis tellement habituée à leur présence que je ne les entends plus vraiment.

Une fille de ma classe s'est retournée vers ma table et m'a donné une barre de chocolat en se moquant gentiment :

60

– Tiens, mange un truc, on n'entend que ton ventre gargouiller là !

Honteuse, je l'ai remerciée du bout des lèvres, essayant de faire comme si je m'amusais beaucoup de sa blague. Mais cela ne me faisait pas du tout rire. Lentement, en silence, j'ai savouré la barre de chocolat. Si j'avais été ailleurs, je l'aurais dévorée en quelques secondes tellement elle me faisait envie. Je me suis contenue, digne, mais j'ai quand même récupéré les dernières miettes sur mon cahier avec mon doigt. J'en aurais bien mangé une autre.

Le soir, quand je trouve le temps ou la force de manger en rentrant de l'université ou du travail, j'avale un bol de riz au lait. Et si je veux me redonner du courage, une cuillerée de Nutella à la fin de mon « repas ». Cela paraît certainement triste, mais ce chocolat agit comme un calmant. Je lèche bien la cuillère, pour profiter au maximum de son goût, jusqu'au bout. J'ai l'impression qu'après, je travaille mieux.

Puis, un midi, ce qui devait arriver arriva. J'ai fait un malaise en plein cours. À trop tirer sur la corde, je ne me suis pas rendu compte que je dépassais toutes les limites que pouvait supporter mon corps. Les gens se sont un peu affolés, mais très vite j'ai repris mes esprits et me mettais de nouveau à travailler. Certains ont un peu insisté pour que j'aille à l'infirmerie de la fac, ce que j'ai refusé poliment. Pas besoin de médecin pour savoir ce dont je souffre. Je souffre de ne pas avoir de fric.

C'est ce jour que j'ai décidé d'aller au Crous pour trouver une solution, une aide financière. Le manque d'argent me fait jouer avec ma santé et je ne me sens pas prête à accepter cette réalité. Je suis révoltée de devoir autant galérer pour manger, manger pour être capable de travailler. Mais une fois devant le bâtiment, je n'ai pas la force d'entrer. Je n'ai jamais imaginé que je me retrouverais au Crous pour une telle raison. Je sais que beaucoup d'étudiants vont là-bas pour demander de l'aide, mais ce n'est pas dans mon caractère. Pour moi, venir ici est synonyme de défaite : je ne suis pas arrivée à me débrouiller toute seule. Mais il faut se rendre à l'évidence. Je ne m'en sors pas seule, j'ai besoin que l'on me file un petit coup de main. Cette situation de perpétuelle affamée n'est plus possible.

Je rentre donc dans le bâtiment et patiente gentiment à l'accueil. Une dame me reçoit une demi-heure plus tard, après avoir vu une foule d'étudiants en coup de vent. Dans son bureau, je tourne autour du pot.

– Voilà, je viens vous voir parce que j'ai de grosses difficultés financières et je voulais savoir si je pouvais trouver de l'aide auprès de votre organisme.

En une fraction de seconde, je lui retrace ma vie sans argent, Manu et le loyer, mes galères, le manque qui se fait sentir chaque jour. J'en profite pour l'observer. Elle m'écoute attentivement et a l'air concernée par mon histoire. Elle est jeune, la trentaine, elle doit certainement se rappeler ses propres années de fac sans le sou.

Après un bon quart d'heure d'explications, je me tais enfin, mais mon silence qui attend une réponse de sa part la fait toussoter.

– Tout ce que je peux proposer à l'heure actuelle, ce sont les tickets restaurant pour prendre vos repas au Crous. Ils ne sont vraiment pas chers, un repas coûte moins de 3 euros !

Je fais un rapide calcul dans ma tête. Je ne peux pas dépenser près de 15 euros par semaine pour un seul repas par jour. Je suis venue ici dans l'espoir que l'on me propose des réductions significatives pour manger le midi ET le soir.

– C'est-à-dire que cela représente une petite somme hebdomadaire pour moi. Je voulais savoir si vous aviez d'autres solutions.

– Dans votre cas, je n'en vois plus qu'une pour ne pas dépenser d'argent en nourriture : les Restos du Cœur.

Elle a prononcé cette phrase lentement, avec beaucoup de douceur, consciente de l'impact psychologique qu'elle aurait sur moi. Ça n'a pas loupé. Je fais de grands yeux en la regardant. Voilà, en une phrase, je me situe sur l'échelle sociale française, c'est-à-dire tout en bas. Si bas que je ne peux pas me payer mes repas, si bas que l'on me propose de la nourriture offerte aux sans-logis. Je crois rêver, je ne peux croire qu'elle soit sérieuse. Mais elle continue de me regarder, avec de grands yeux compréhensifs.

Je bredouille un vague merci et demande où je dois me rendre pour trouver les Restos du Cœur. Sur un papier, elle me griffonne une adresse d'une belle écriture. Elle s'applique, peut-être pour me prouver qu'elle est touchée par mon histoire de Cosette. Je la salue rapidement, pressée d'en finir. Elle me serre chaleureusement la main dans le couloir avant de crier « suivant » d'une voix stridente.

J'affronte de nouveau le froid de novembre à la sortie du bâtiment. Le petit bout de papier en main, je marche vite pour me réchauffer. Je n'irai pas, il n'en est pas question. Je ne peux pas me résoudre à aller dans cet endroit ; je me dis que je n'en ai pas tant besoin que ça, tout compte fait. J'aurai presque l'impression de « voler » cette nourriture à ces pauvres gens qui, eux, n'ont vraiment rien. Et surtout, je n'arrive pas à m'assimiler à eux, des sans-logis. Moi, j'ai un toit, un travail, et je fais des études. Non, c'est décidé, mes pâtes me vont très bien finalement, je m'en contenterai. Après tout, je ne suis pas la première ni la dernière.

Chapitre 7

La fin

9 décembre 2006

Dans toute vie, il y a une nuit où l'on mûrit trop vite. Rien ne sera jamais plus comme avant. Adieu l'innocence. C'est une de ces nuits mélancoliques où les bilans font mal. En l'occurrence, le mien est financier. Pas de fric, des factures qui m'en réclament, un appart à payer. Plongée dans le noir, adossée à ma chaise devant l'écran de l'ordinateur de Manu, je contrôle à peine mon doigt qui s'affaire frénétiquement sur la souris en quête d'une solution. Un site d'annonces, puis un autre. Une fenêtre, plus ou moins cachée vers le bas de la page et qui se veut discrète, attire mon regard : réservée aux plus de 18 ans. Deux catégories : « vénales » ou pas. D'emblée je suis tentée de choisir la deuxième, comme pour me justifier aux yeux de quelqu'un. Mais la pièce est vide, je suis seule. Soyons honnête, le fric reste clairement la raison principale de ma présence sur ce site. *Juste par curiosité*, me dis-je, sachant très bien que la limite vient d'être franchie. Pas de protection spéciale, je clique (plus de 18 ans, mon cul !). Dans la case « mot clé », j'inscris mon statut d'étudiante et ma ville.

Une liste exhaustive de demandeurs s'affiche alors, que je fais dérouler à l'aide de ma souris. C'est donc possible et si facile ? Je parcours prestement les annonces qui, après une rapide consultation, se ressemblent toutes. Les mêmes mots se répètent en permanence : « jeune fille », « moments tendres », « rencontre », « recherche ». Moi aussi je recherche : de l'argent, et vite. Stupidement catégorisées sous l'alibi plus que douteux de « massage », les hommes qui se présentent ont en moyenne une bonne cinquantaine d'années. Plus vieux que mon propre père. *Papa, si tu savais...* La différence majeure, c'est qu'eux ont du pognon, beaucoup, et semblent prêts à le dépenser pour un fantasme que je suis potentiellement capable d'assouvir. Les tarifs, lorsqu'ils sont mentionnés, parlent de centaines d'euros à l'heure. Est-ce possible ? Tous ces chiffres font miroiter mon désir de possession en l'espace d'une seconde. Je m'imagine déjà avec toute cette oseille dans mon portefeuille élimé, ça dépasserait de partout ! Ils parlent aussi de plusieurs heures en leur compagnie. Qu'importe, une après-midi dans une vie, je suppose que, quand on a vraiment besoin de fric, ce n'est pas grand-chose. Elle est peut-être là ma solution, celle que j'attendais. Du confort, et vite.

Je m'en suis pourtant passée de ce confort jusqu'à présent, assez bien d'ailleurs. L'appartement de mes parents dans une résidence HLM jusqu'à mes 18 ans, des fringues on ne peut plus simples, des cigarettes roulées, tout cela me convenait amplement. Jusqu'à présent. Bien sûr, il m'arrivait d'être envieuse, comme tout le monde, mais je n'avais jamais été vraiment matérialiste, faute de moyens peut-être. Jamais un rond dans les poches, obligée de frauder les transports, une vie vaguement supportable. Incommodante parfois, souvent embarrassante au moment de la note, mais on s'y fait. Je me dis que les « massages » me permettraient aisément le luxe de pouvoir choisir. Je ne réalise pas que c'est précisément tout l'inverse qui est en train de se produire : je n'aurais plus jamais le choix.

Mêlés à la nuit noire, souvent source d'actes insensés, mes sens se sont agités pour entrer dans une ébullition folle. La vue, dans un premier temps, vicieuse et si présente à chaque instant. La vue de ces factures que je me refuse à ouvrir depuis une semaine, abandonnées sur le modeste meuble de bois du salon qui me sert de bibliothèque ; la vue des billets que tendent mes rares amis pour me payer mon énième café au bistrot du coin. Une hypothèse se précise, qui avait certainement été latente toutes ces années : avec des sous non seulement je pourrais étudier tout le temps, mais je m'aimerais mieux.

Je délire un peu. Mon corps tout entier réclame cette possible abondance, je la sens presque au bout du doigt. Il me suffit d'actionner mon doigt sur la souris, juste ça, une toute petite pression. Ma main se fait incontrôlable, guidée par cette envie noire si taboue et paradoxalement si pétillante. Mes bras, ma tête, tout mon être sait qu'au bout de ma main se trouve un dénouement, aussi controversé qu'il puisse être, un moyen de tout régler, du moins pour l'instant. Mon organisme tout entier se ligue contre ma faible sagesse, pressée d'en finir. Tant pis pour la suite, on verra bien.

Une frénésie s'est subitement emparée de moi. C'est déjà trop tard. Il a suffi d'un coup d'œil à ces messages pour m'en remettre complètement à eux. *Ne pas penser, Laura, tape juste ces foutus messages et tu sortiras de la merde dans laquelle tu es ; c'est la seule solution et tu le sais.* Ne pas reculer devant la peur, un moyen m'est offert, je saute dessus. Mon caractère fonceur ne distingue plus le bon du mauvais, veut à tout prix s'en sortir, quoi qu'il en coûte. La schizophrénie m'habite depuis ce moment-là. Ma personne s'est dédoublée à la lecture de ces annonces : il y a la Laura pleinement consciente qu'elle joue avec le feu et la Laura avide d'argent. Un défi ridicule s'ajoute à cela : je peux le faire, je me le prouverai à moi-même. Alors je tape, je tape sur les touches de mon clavier comme si je tapais sur ma propre vie, comme pour éradiquer ce manque qui a grandi en moi chaque jour un peu plus. Je me suis crue maîtresse de ma raison déjà en perdition, je me crois invincible avec la seule promesse de cet argent.

Manu n'est pas là, profites-en. Je jette tout de même un coup d'œil à l'heure et à la porte d'entrée, au cas où. Il est encore avec ses amis en ce moment, il ne va pas rentrer tout de suite.

Je tape vite, sans prendre le temps de réfléchir, pour ne pas imaginer le monde dans lequel je m'aventure. Je tombe ;

oui, en cinq minutes je suis tombée. Au bout d'une heure, ma main s'est arrêtée, satisfaite. Une quarantaine de réponses ont été envoyées dans ma folie. Un chiffre vague qui correspond à des personnes qui, pour l'instant, n'existent pas vraiment. L'image trop floue qu'ils renvoient à travers leurs mots n'a aucune signification pour moi. L'impression que tout ceci n'a été qu'un rêve ne m'a quittée à aucun moment. J'ai pris bien soin de ne pas penser pendant que mes doigts jouaient sur le clavier. Puis pour couper net à la rêverie, je rabaisse l'écran promptement et je pars faire un tour.

La nuit a suffi. Dès la première heure, la notion de manque et de besoin d'autres personnes a surgi, en parallèle à la mienne. Dans un sens, nous nous res-semblons, eux et moi : nous sommes tous en manque de quelque chose. Je n'ai peut-être pas rêvé en fait, ma boîte mail présente déjà les conséquences de mes actes, actes que je ne maîtrise déjà plus, même en sécurité chez moi. J'ai répondu, perdue dans une transe de besoin, désespérée de trouver ce putain d'argent, et je me retrouve maintenant face à mes conneries. L'étudiante excite donc le mâle mûr, j'en ai la preuve à présent. Chacun y trouve son compte paraît-il, ils veulent voir leurs fantasmes se concrétiser, et moi les miens.

Le premier message, on s'en souvient toujours. Pour moi, c'est Joe, un surnom bizarre, avec lequel il signe les messages électroniques qu'il m'envoie. Joe, plus connu sous le prénom de Joseph. L'utilisation d'un pseudo est apparue comme une évidence à ses yeux ; pour d'une part faire plus jeune et branché aux yeux de ses futures collaboratrices du plaisir, d'autre part pour ne pas trop s'exposer. Se dédouble-t-il lui aussi lorsque la nuit vient et qu'il sent le désir monter ? Je n'ai pas cherché à me trouver un pseudonyme. Trop entière, trop novice, je ne me suis pas posé la question, je pense bêtement que Laura restera toujours Laura, quoi qu'il arrive.

Jeune homme de 50 ans recherche masseuse occasionnelle. Étudiantes bienvenues.

Son message est bizarrement courtois, mais en lisant à travers les lignes, on sent son être transpirer d'envie. Il me demande si j'ai des tabous. Ces mots me crient de ne pas en avoir, que la rémunération n'en sera que meilleure. Il n'a pas demandé de photographie, mais m'en a envoyé une. Il a 57 ans. Ça laisse imaginer ce à quoi il peut ressembler. La réalité frappe maintenant, dure et intraitable, elle me force à prendre conscience.

Pour la première fois de ma vie, en lisant son message, je me sens plus gamine que jamais, moi qui ai toujours été en avance sur mon âge. Cet homme est mûr, a le triple de mon âge. Il exprime des fantasmes réfléchis qu'on devine enfouis et mal niés. Il cherche une candide, la pense probablement en jupe plissée courte, chaussettes à l'anglaise, en train de savourer une sucette à la fraise. Puis il éteint son ordinateur, parce que sa femme vient d'entrer dans la pièce, pour lui demander de les rejoindre, elle et sa fille, pour le dîner. Et pendant le repas, il fait comme si de rien n'était parce que cela fait des années maintenant qu'il leur cache tout ça.

Peut-être jetterait-il un coup d'œil à sa fille, plus âgée que la jeune fille en jupette, en se disant qu'elle est jolie et que son avenir est très prometteur. Quand elle lui demanderait de lui passer le plat, il le ferait volontiers en lui souriant. Le soir, au mieux, il fait l'amour à sa femme, poliment, en prenant son temps, se retenant pour lui laisser le temps de prendre du plaisir. Parce qu'il l'aime. Parce qu'il les aime toutes les deux, du plus profond de son cœur.

La question du tarif a bien évidemment été abordée, et je me suis grillée toute seule. Derrière l'écran, le mensonge est courant et tellement dissimulable, je suis aisément entrée dans la peau d'une prostituée professionnelle, qui a roulé sa bosse et à qui on ne la fait pas. Mais quand il a fallu parler fric, je me suis plantée. Spontanément, j'ai voulu des mille et des cents, mais j'ai pensé que ce ne serait pas crédible. Avec le temps, je vais apprendre qu'on ne perd rien à oser et à mettre la barre très haut, quitte à renégocier après, face à trop de réticences.

Ces hommes s'imaginent, et dans mon cas – je dois l'avouer – à juste titre, que si une fille demande beaucoup, c'est que le jeu en vaut la chandelle. Un montant faramineux laisse souvent présager une heureuse surprise : peut-être une fille magnifique qui, de par son physique, peut se permettre de forcer ses prix. Le cul pour de l'argent, occasionnellement. Ils pensent probablement que ce sont des filles qui aiment le sexe, qui en redemandent, des étudiantes coquines qui veulent que des hommes mûrs prennent en charge leurs vies sexuelles monotones, pour les changer des minets débiles de leur âge.

Mon inexpérience me pousse à proposer 100 euros de l'heure, en fonction de ce que j'ai lu dans les autres annonces. Le fameux Joe a eu l'air ravi, car il ne doit probablement pas s'attendre à quelque chose de cet ordre. C'est aussi certainement à ce moment-là qu'il a compris qu'il avait affaire à une novice. Dans sa tête, ni une ni deux, il a indubitablement déjà échafaudé des mises en scène, repoussant les limites qui lui avaient toujours été imposées par les « pros ».

On a fixé un rendez-vous tous les deux après de courts échanges par mail, où j'ai fait semblant de participer. On se rencontrerait dans trois jours, dans un hôtel près de la gare. Il porterait un polo rouge pour que je le reconnaisse, car même si j'ai sa photographie, il ne veut pas me rater, se déplacer pour rien. Il a beaucoup insisté sur le fait qu'il n'habite pas en ville, et qu'il serait très déçu de ne pas me trouver au rendez-vous après avoir fait toute une trotte. Il me parle vraiment comme à une gosse que l'on met en garde quand on comprend qu'elle s'apprête à faire une bêtise.

J'ai dit « oui » sans plus attendre, pour éloigner plus vite le sujet de mon esprit. Mais malgré tout, les détails se mettent déjà en place. Un patchwork se dessine peu à peu dans ma tête. Dans mon imagination je prends son visage, j'y associe le corps d'un homme de la soixantaine, vêtu d'un polo rouge. Je place le tout devant un hôtel minable dans la rue qui mène à la gare, une rue d'ailleurs réputée pour ses prostituées et son trafic de drogue.

Une fois l'ordinateur refermé et les dernières braises de la rêverie éteintes, je reprends ma petite vie banale en un instant. Manu n'est toujours pas là, ce con. Je décide de me plonger dans un exercice de traduction d'espagnol. Mais je ne parviens pas à me concentrer. Après plusieurs minutes de réflexion, je suis arrivée à me persuader de ne pas me rendre au rendez-vous, sous aucun prétexte. J'ai joué avec le feu, un peu, jusqu'à me brûler le bout des doigts, mais à aucun moment je ne pense sérieusement y aller. Joe sera tout seul devant l'hôtel, moi je resterai chez moi.

Pourtant ce chiffre bête comme chou revient en permanence : 100 euros de l'heure. Trois jours dans l'attente. Dans l'attente de quoi ? J'ai décidé de ne pas y aller, alors pourquoi me suis-je mis en tête de respecter l'engagement passé avec cet inconnu ? Je n'irai pas, point final, fin de l'histoire. Mes pensées vagabondent, entre la raison et le besoin, en faisant bien attention d'éviter mon jeune cœur, qui n'a pas sa place dans cette histoire.

Je regarde mon placard de bouffe, vide. Je jette stupidement un coup d'œil à mes factures posées sur le meuble. J'ai mal à la tête. Je ferme mon livre de traduction d'un coup sec.

Une fois, pas plus.

Chapitre 8

Le pigeon

12 décembre 2006

Trois jours seulement se sont écoulés depuis nos échanges par mail. Ce n'est pas plus mal, après tout. De cette manière, je ne prends pas le temps de penser à ce que je fais, et j'ai trop besoin d'argent. Nous avons convenu de nous retrouver à 14 heures, pour une heure évaluée à 100 euros. Juste une heure, avant que je parte travailler dans ma boîte de télémarketing. Jusqu'à la dernière minute, je ne sais pas si je vais vraiment y aller. Mais le syndrome de la poche trouée a naturellement guidé mes pas.

Sans vraiment savoir pourquoi ni comment, je me suis retrouvée en direction de cette fameuse rue, marchant comme l'on marche vers un rendez-vous que l'on n'a pas noté dans son agenda, mais que l'on ne peut oublier. Je me suis forcée à faire semblant de négliger ce rendez-vous en enfilant un banal jean et un gilet. Mais sous ma tenue que je veux basique, au cas où je viendrais à tomber sur une connaissance en chemin, personne ne peut deviner des bas, qui grattent un peu. Cela m'a fait rire quand je les ai enfilés, je me sens un peu ridicule avec. Je me suis même rasée sous la douche ce matin. Évidemment ça m'arrive souvent, surtout depuis que je vis avec Manu, mais là je me suis vraiment appliquée, en repassant plusieurs fois sur le genou et les chevilles. Un endroit très délicat, les chevilles. Je veux plaire et faire bonne impression. Les raisons de ce travail minutieux ne sont pas encore tout à fait claires.

Je me rends compte en y allant que je n'ai pas préparé d'explications si je rencontre quelqu'un dans la rue. Ce n'est finalement pas si grave, je suis bonne menteuse, je trouverai bien quelque chose à inventer. Une fois près de la gare, je presse tout de même le pas. Plus vite j'y serai, plus vite j'en aurai fini.

Ma tête énumère méthodiquement les règles que je m'obligerai à respecter : une fois, pas plus. J'aurais dû fumer un joint avant de partir. C'est vrai ça, pourquoi je n'y ai pas pensé ? J'aurais été beaucoup plus zen, plus relax, la situation m'aurait éventuellement amusée. Éventuellement.

J'ai bizarrement pris certaines précautions qui me paraissent nécessaires : je ne me montrerai pas la première, j'attendrai qu'il arrive d'abord. Au fond de moi, je crois encore qu'il s'agit d'une blague. Postée devant l'hôtel du rendez-vous, je patiente dans le froid de décembre, regardant les piétons, espérant presque que Joe arrive pour ne plus avoir à supporter le vent glacial. Joe, le brouillon qui va devenir réalité quelques instants plus tard.

Une foule de questions me viennent très logiquement. Il m'a dit qu'il a réservé une chambre. A-t-il donné son vrai nom à la réception ? Je n'ai rien dit lorsqu'il m'a proposé un tel endroit, mais je trouve ce choix tellement lugubre. Il doit y tester toutes ses nouvelles conquêtes, et si elles le méritent, il les fait rêver les fois d'après en les emmenant dans des lieux plus convenables. Mais après tout, si c'est juste du cul qu'il veut, pourquoi se prendre la tête ? Si ça se trouve, il a déjà son propre compte là.

Un poil en avance sur l'heure dite, un homme d'un certain âge s'arrête devant l'immeuble, regardant tranquillement autour de lui, comme si de rien n'était. « Un homme d'un certain âge », c'est ce que l'on dit quand on est poli et que l'on ne veut pas prononcer le mot « vieux ». Donc, bref, il est vieux. Je n'ai jamais imaginé que je coucherais avec un homme de cet âge un jour.

Il ne ressemble pas du tout à la photo. Malgré un look plus jeune, plus sportif, il fait ses 57 ans. Il porte une chemise à carreaux rouges, un jogging et des baskets ; des cheveux grisonnants accompagnent son âge. Une grosse moustache encore brune orne le centre de son visage. Pas de vrai style, mais au moins, il fait propre sur lui. Quelqu'un sur qui je ne me serais de toute évidence jamais retournée dans la rue, mais quelqu'un qui n'a pas non plus une apparence rebutante. Et dire que je vais voir ce mec à poil ! Et dire qu'il va vouloir me toucher ! J'en frémis d'avance de dégoût. Peut-être est-ce parce que je m'attendais à bien pire que je suis sortie de ma cachette d'un bond pour traverser la rue et le rejoindre. Je crois aussi que je me force déjà à ne plus réfléchir.

Il m'a vue arriver et son visage a changé d'expression. Je n'ai pas su dire si c'était en bien ou en mal. On se fait la bise d'une manière prompte, forcément un peu stressés tous les deux. Mais son attitude s'est subitement détendue, et il s'est présenté avec beaucoup de courtoisie, d'une voix douce. Mon Dieu, il est si vieux ! Ah oui, maintenant ses 57 ans étaient clairs.

— Bonjour, Laura, lâche-t-il tout en m'observant.

— Bonjour, Joe, dis-je, sans rien savoir ajouter.

Je n'ai pu m'empêcher de le reluquer de haut en bas, sans aucune gêne. Je ne me sens pas spécialement attendrie, plutôt haineuse, je l'avoue. Son accent m'a frappée et a déclenché en moi ce besoin de l'inspecter : il respire le gros beauf de la campagne. Ses intonations, sa voix qui chante en fin de phrase : il représente parfaitement l'enfant du pays exilé dans la « grande ville » pour faire carrière mais qui n'a jamais pu se défaire totalement de ses origines. À ce moment-là, je me demande s'il va vraiment me payer. Vu son accoutrement basique, voire un peu trop *cheap*, je suis en droit de me poser la question.

Sa posture trahit une certaine routine, ce n'est clairement pas sa première fois. Il est à l'évidence ravi de mon apparence. Je fais semblant de ne pas voir qu'il me dévisage avec des yeux de merlan frit. Mon arrivée est pour lui un cadeau tombé du ciel : que pouvait-il rêver de mieux ? Une étudiante, qui offre son corps pour la première fois, et, qui plus est, a des tarifs ridiculement bas. Il en frémit de plaisir à l'avance et se félicite intérieurement de son choix judicieux.

De mon côté, je jette des coups d'œil frénétiques autour de moi. Une peur incommensurable m'habite depuis le moment où je l'ai retrouvé. Je veux absolument entrer, car je ne crains qu'une seule chose à cet instant, c'est que quelqu'un me reconnaisse. Il a dû le comprendre, à voir mon visage un peu crispé ; il a ouvert le chemin. Il a dû comprendre beaucoup de choses en me voyant pour la première fois sur ce trottoir.

Je me suis faufilée derrière lui par la porte d'entrée. À sa manière d'agir, je devine qu'il connaît les ficelles du métier.

Je marche poliment derrière lui, comme pour me cacher. Je crois que je ne veux pas voir le regard du réceptionniste. Il n'est pas dupe, il comprend très bien ce qui se passe et que cette chambre réservée en plein après-midi ne va pas accueillir des touristes à peine débarqués du train, fatigués de leur voyage.

Je me suis si bien cachée que je n'ai pas remarqué tout de suite les gendarmes : Joe n'a pas ralenti ou tiqué à leur vue, bref, aucun signe pour me mettre la puce à l'oreille. Et pourtant ils sont bien là : deux ou trois têtes coiffées d'un képi discutent à la réception. Maintenant que je me retrouve face à eux, j'aurais préféré le regard accusateur du gardien inconnu.

Mais je me rends soudain compte que je n'en ai rien à foutre du réceptionniste et que ce qui pourrait se passer dans les prochaines secondes aurait peut-être un impact bien plus grand dans ma vie. Des gendarmes, ça peut vous mener en prison.

Une fois en face d'eux, je baisse les yeux, paniquée. Une chaleur que je connais bien, celle qui m'avertit physiquement que le danger est proche, a envahi mon ventre et torture à présent mes tripes. Ça y est, c'est fini avant même d'avoir commencé. Ça y est, je n'ai pas 20 ans et je vais me faire prendre pour un vulgaire jeu dont je n'ai pas mesuré les conséquences. Tout en marchant, je déroule dans ma tête un film digne d'Hollywood. Je me vois au poste, avec une lumière blanche étourdissante en pleine face, les menottes aux poignets, gesticulant mon innocence sur une chaise en fer. Et puis mes parents convoqués au commissariat de mon quartier, ma mère en pleurs évidemment, et mon père qui ne me jette pas un regard, car j'ai sali le nom de la famille. Quel cauchemar !

Je marche en sachant que dans un dixième de seconde un gendarme va m'arrêter. Mes pas se poursuivent malgré tout, suivant le responsable de toute cette affaire, de ma future vie de tôlarde. Parlons-en, de lui ! Joe ne semble pas se soucier le moins du monde de ce qui se passe alentour. Merde mais réagis, les flics vont nous choper !

Pourtant je ne crie pas, aucun son ne sort de ma bouche tétanisée. Attends voir une seconde : si l'animal ne cille pas, c'est peut-être qu'il est dans le coup lui aussi ! Et si c'était un flic en civil ? Je me suis fait arnaquer comme une bleue…

Laura D.

Je suis encore en train de me détester, ainsi que le monde entier, quand je réalise que nous sommes déjà dans l'ascenseur. Il n'a même pas proposé qu'on se sépare pour se retrouver dans la chambre, ce qui aurait trahi une certaine peur, très logique en soi. En fait, il n'en a strictement rien à foutre des poulets. Tout s'explique quelques minutes plus tard, car il se passe quelque chose d'incroyable : rien. Absolument que dalle. Les gendarmes nous ont vus, c'est une évidence, nous les avons frôlés en marchant. Pourtant, il ne s'est rien passé.

Au lieu de ça, nous avons continué le voyage en ascenseur en silence, lui probablement déjà en train de fantasmer à ce qu'il va me faire une fois en haut ; et moi, à peine remise du choc frontal avec les gendarmes, pétrifiée. Arrivé en haut, il s'est dirigé vers la chambre sans aucune hésitation, il doit certainement connaître l'hôtel par cœur.

Pressé, il a tourné la clé dans la serrure, m'a fait passer devant comme un pseudo-gentleman. Je suis entrée dans la chambre d'un pas qui donne l'impression d'être décidé. Plus vite ce sera fait, plus vite ce sera fini.

La première chose que j'ai vue, ce furent ces rideaux immondes d'un vert passé qui couvraient les deux fenêtres. Quelle horreur de décoration ! Qui a assez de mauvais goût pour poser de pareils rideaux dans une chambre comme celle-là ? Le reste est basique. Plutôt grand, mais avec le strict nécessaire : un lit et les tables de nuit assorties, une table disposée contre le mur avec un téléphone. C'est très bien que je le repère tout de suite, je pourrais me ruer dessus si Joe devient violent. La moquette est banale, d'un bleu très foncé, presque noire, je ne me rappelle plus très bien.

Un claquement de serrure me fait sortir de mes pensées. Joe a fermé la porte à clé. Hors de question ! Nous n'avons toujours pas échangé un mot, du moins autre que les banalités de présentation.

– Non. La porte reste ouverte, dis-je.

Quel affront ! À peine ai-je prononcé ces mots que je réalise le ton sec que j'ai employé. Est-ce que cela se fait d'être aussi catégorique devant un mec à qui l'on doit se donner entièrement ? Je n'en ai aucunement conscience à ce moment-là. C'est la vraie Laura qui parle, celle qui dit ce qu'elle pense. Il a fait une petite moue, juste l'espace d'une seconde mais assez longtemps pour que je la perçoive.

– Comme tu préfères. C'était juste pour qu'on soit plus tranquilles.

Il ne me contrarie pas et respecte mon exigence. Ça ne sera peut-être pas si dur après tout.

Excitée et tellement mal à l'aise, je ne peux m'arrêter de bouger dans tous les sens, faisant des allers et retours inutiles entre les rares meubles, comme pour évacuer mon stress.

– Ça va, tu te sens bien ? me demande-t-il.

Ma tension est si palpable que le vieux se sent obligé de prendre de mes nouvelles.

– Oui, ça va, ça va très bien, dis-je prestement, pour me débarrasser de cette conversation superflue.

– Alors, tu es étudiante ? Étudiante en quoi ? Tu as quel âge exactement ?

Je suis incapable de répondre. Je suis trop troublée et trop occupée à le regarder. Son corps est plutôt athlétique, et à part sa chemise à vomir, le reste est très passable. Il m'impressionne, en un sens, par son âge mûr.

Il continue à me poser deux ou trois questions inintéressantes, auxquelles je ne réponds pas davantage, plus par inconfort que par impolitesse.

Je me retourne, et mon regard tombe de nouveau sur les rideaux tout moches. Pourquoi m'obsèdent-ils autant ? Tout en eux me dégoûte. Ils me narguent avec leur tissu qu'on n'a jamais dû laver. Je comprends que s'ils me dérangent autant, c'est certainement parce qu'ils me renvoient à ma situation de misère et de laideur.

Il traverse la pièce avec une mallette noire à la main que je n'ai pas remarquée avant. Une vraie mallette de businessman. Il l'a tranquillement posée sur le bout du lit, en commençant à faire jouer le mécanisme pour l'ouvrir. Une scène vraiment incongrue : imaginez un peu ce mec qui se la joue grand professionnel avec sa chemise à carreaux de bûcheron !

Mais au fond, qu'est-ce qu'il peut bien cacher là-dedans ? Je lui jette un regard inquisiteur. Je m'attends à présent à ce qu'il sorte un vrai attirail de médecin, avec outils et ustensiles pour me charcuter. Ou bien seulement un petit gadget pour pimenter notre rencontre. Je me demande soudain avec angoisse ce dont il peut bien être capable, je ne le connais après tout ni d'Ève ni d'Adam.

La mallette est posée sur le lit, ouverte. Pendant un instant, je me crois dans un film à la Tarantino, et à mesure que je me rapproche pour en voir le contenu, je m'imagine même des liasses de billets. Au lieu de cela, une banale lettre, que Joe me tend.

— Que veux-tu que je fasse ? Que je la lise ici devant toi ?

Toujours sans parler, il me fait oui de la tête. Il n'est certainement pas original, mais il désespère de créer une situation énigmatique, cela crève les yeux. Finalement, je dois bien reconnaître que cela marche. Déroutée, je prends le bout de papier entre mes mains. Son écriture est appliquée et l'on comprend dès les premières lignes qu'il a fait attention à bien choisir ses mots.

Bonjour, Laura
Tout d'abord, ta ponctualité m'a satisfait et je t'en remercie.

Quel fou ! A-t-il écrit une autre lettre si j'avais été en retard ?

Aujourd'hui, nous allons jouer ensemble. Je te demande de lire ma lettre jusqu'au bout et de t'exécuter au fur et à mesure. Dans un premier temps, je veux que tu te déshabilles entièrement.

Le temps s'est à présent mué en un gigantesque silence gêné. Joe s'est tu et attend debout, les bras croisés. Un vrai entretien d'embauche. Si je passe le test de la nudité, je suis sûre d'être embauchée.

Je pose lentement la lettre sur le bord du lit. Sans réfléchir, j'ôte mon haut et, sans attendre de réactions de sa part, je fais glisser mon jean le long de mes cuisses. Je me baisse dans un mouvement que je veux langoureux pour m'en dégager complètement.

Joe me mate terriblement, la bouche ouverte. On devine un début d'érection sous son jogging.

Mon soutien-gorge, ma culotte de style Petit Bateau et mes bas sont à présent les seules choses qui couvrent mon anatomie. Debout devant lui, les mains derrière le dos, je lui présente toute mon intimité. Je suis la femme-enfant, la Lolita de Nabokov, et il adore ça. Je suis déconnectée de toute réalité. Une véritable torture commence pour moi, que j'exorcise en gloussant. Je suis si complexée par mon corps, malgré ses formes légères, et la situation est réellement déstabilisante. Il ne bouge plus, son silence dure depuis un quart d'heure maintenant.

Il inspire longuement et ses lèvres commencent à s'ouvrir. Allez parle, dis quelque chose.

– Woa ! pousse-t-il dans un cri bref.

Et c'est tout. Juste une onomatopée. Personne ne peut comprendre ce que je ressens tout à coup. Mon corps se gonfle soudain d'espoir et de contentement. Ce mec, que je ne connais de nulle part, a réussi en un mot et une fraction de seconde là où des dizaines d'autres s'étaient plantés : me faire prendre conscience que mon corps est plaisant. Pourquoi a-t-il fallu que ce soit lui ? Je n'ai pas de réponse, c'est tout bonnement inexplicable. Je sais seulement que pour la première fois, j'entends et accepte un compliment. À cette seconde, je l'ai considéré comme un homme et plus comme le gros dégueulasse qui veut mettre ses pattes partout sur moi. Les filles ont dû défiler devant lui, et néanmoins, il arrive encore à être impressionné.

Nous échangeons un sourire entendu, et quelque chose qui se rapproche étrangement de la confiance s'établit entre nous.

– C'est exactement pour ce genre de choses que je n'aime pas les « professionnelles », elles ne peuvent pas avoir l'apparence innocente que tu as.

Je ne sais pas vraiment comment prendre cette remarque. Est-ce qu'il me considère déjà comme une prostituée ? Est-ce qu'une ou deux passes suffisent pour mériter ce mot ?

De son menton, il a de nouveau désigné la lettre, pour que je poursuive ma lecture. Je m'exécute.

À présent, je veux que tu ailles prendre une douche, j'en prendrai une après toi. Je suis très content que tu sois venue et que nous passions ce moment ensemble.

Je parcours le reste de la lettre. Après tout, la suite est évidente ; une fois nue, sous la douche, je me doute bien que nous n'allons pas entamer une partie de Scrabble endiablée.

Je te remercie, Laura, d'être venue aujourd'hui. Je suis ravi de te rencontrer et j'espère que nous nous reverrons par la suite. Tu m'as l'air de quelqu'un de bien.

Quelqu'un de bien ? Comment peut-il le savoir ? Suis-je quelqu'un de bien parce que j'accepte de me mettre en sous-vêtements devant lui pour de l'argent qui me fait défaut ? La lettre se termine par du blabla, un tissu de banalités qu'il a dû se sentir obligé d'écrire pour sa conscience, et pour me mettre en confiance. Néanmoins, ses mots trahissent une gentillesse que je n'aurais jamais pu envisager. Ce rendez-vous ne se présente pas comme prévu. Moi qui pensait que ce serait une heure à ne pas réfléchir, où je laisserais mon cerveau de côté, je me retrouve finalement à cogiter sur ce gars-là !

Je retire le léger superflu de tissu qu'il me reste et me dirige docilement vers la salle de bains.

Une fois la porte refermée, je fais face au miroir de la pièce étriquée. Malgré tous mes efforts, je n'ai pu éviter son reflet. Nue, devant la glace, je suis soudain tentée de tomber dans la mélancolie. Je suis déconnectée une fois de plus de cette « séance », car je me retrouve face à moi-même, à ce que je suis en train de faire. Je ne me suis jamais vraiment regardée de si près et avec tant d'attention. Je suis bizarrement fière de mon corps après l'onomatopée de Joe et je commence à m'examiner. Mon ventre ne m'a jamais beaucoup plu, mais en cet instant je l'observe différemment. Il y a quand même cette voix au fond de moi qui tente de me rappeler à la raison. Merde, je deviens complètement paniquée, torturée entre deux sentiments opposés.

L'exigence de la douche avait marqué une pause dans l'aventure, une pause qui m'oblige à vraiment réfléchir.

Pour couper court, je fais couler l'eau et j'ajuste la pression.

Aussi incongru que cela puisse paraître, je souris, oui. Parce que je me trouve soudain jolie. Je suis retombée en enfance et le compliment de cet homme, plus vieux que mon propre père, m'a comblée comme celui d'un grand-père à sa petite-fille.

L'eau coule lentement sur mon corps que je savonne frénétiquement avec le savon bas de gamme offert gracieusement par l'hôtel. Je n'ai aucune raison de frotter aussi fort, il ne m'a pas encore touchée. Mais je continue mon va-et-vient de plus belle, à m'en arracher la peau. Je me lave peut-être de la situation, de lui, de la pièce, de ses compliments, des rideaux verts.

Une fois propre, j'attrape une serviette pour me sécher, que je coince savamment dans le creux de mes seins, prise de panique à l'idée de le voir entrer dans la salle de bains. J'ai une seconde d'hésitation. Je ne sais pas si je dois sortir nue ou non. Au moment même où je me pose cette question, je réalise qu'à un moment ou à un autre, je serai nue devant lui. Autant que ce soit moi qu'il l'ai décidé. Ma main agrippe le nœud sur ma poitrine et le détend. La serviette retombe mollement sur le sol dans un bruit sourd.

Lorsque j'ouvre la porte, Joe se trouve sur le lit, en caleçon. Je vois son torse pour la première fois. Pas de surprise, il a bien 57 ans, les poils blancs et une légère bedaine au ventre.

– Tu m'excites énormément, tu sais ? prononce-t-il dans un soupir.

Oui, ça je m'en doute bien.

– Alors voilà comment les choses vont se passer.

Il marque une pause.

– Je suis quelqu'un qui adore les mises en scène. Je fantasme beaucoup là-dessus, dit-il tranquillement.

Voyant mon regard un peu décontenancé, il s'empresse alors de m'expliquer.

– Maintenant, je veux que tu sortes de la chambre, que tu attendes un instant dans le couloir et que tu frappes deux fois à la porte. Quand je te dirai d'entrer, tu entreras et tu feras ce que je te demanderai.

– Quoi, mais comme ça ? Toute nue ?

– Oui, comme ça, toute nue.

Tu ne veux pas cent balles aussi ? Au rythme où vont les choses, ce sera moi qui finirai par le payer ! Le fantasme de la fille nue qui toque à la porte est de trop. Que se passerait-il si quelqu'un me voyait ? Je suis en train de perdre mes moyens.

– Non.

– Comment ça non ? Pourquoi non ?

– Non.

– On peut savoir pourquoi ?

Son regard a subitement changé. Je sens au son de sa voix que mon refus a cassé l'image bandante qu'il était en train d'échafauder. Il sent que je peux mettre un frein à ses inventions lascives, et ça, même si je suis polie et bien gaulée, il ne semble pas prêt à l'accepter.

Je prends peur à ce moment-là. J'ai transgressé ses règles. Je me dis qu'il ne renoncera pas au but qu'il s'est fixé si je ne suis pas la marche.

— Parce que c'est dur pour moi. Me déshabiller devant toi est déjà un énorme pas. Je ne sais pas, je ne sais plus, si je peux aller plus loin. Tu précipites les choses.

Avant de venir, je ne pensais pas avoir à lui parler autant. Je suis prête à lui offrir mon corps pour qu'il en fasse ce qu'il veut tandis que je ferme les yeux pour faire avancer l'heure, mais je ne veux pas être si actrice. Chienne morte pendant une heure, oui, mais pas actrice.

Ma réaction a été sincère, et son regard se radoucit après quelques secondes. Mais au fond de sa pupille, je vois bien qu'il ne va pas lâcher le morceau. Bingo.

— Écoute, je comprends, mais n'aie pas peur, fais-moi confiance, tout va bien se passer. Tout ce que tu as à faire, c'est sortir de cette pièce quelques instants à peine et taper à cette porte…

J'obtempère le plus rapidement possible ; encore une fois, plus vite je m'exécuterai, plus vite je verrai la couleur de l'argent. Mon argent. Je le fais déjà mien, sinon je ne me sens pas capable de continuer.

Je me dirige donc nue vers la porte et sors, non sans avoir jeté un coup d'œil rapide pour inspecter les lieux. Quelle situation ridicule ! Pour ne pas dire humiliante ! Si Manu ou mes parents me voyaient en cet instant… Je laisse à peine plus d'une seconde s'écouler avant de toquer. Ainsi je ne m'accorde aucun temps pour penser à ce que je fous dans ce fichu couloir. Je me précipite à l'intérieur de la chambre. Il ne me fait pas recommencer.

Je me place en face du lit, où il est toujours assis.

– Maintenant, caresse-toi pour moi. Caresse-toi comme si tu découvrais ton corps pour la première fois.

Ayant compris la leçon précédente, mes mains se posent alors sur mon cou pour remonter vers mon visage. Sans broncher, je parcours ma nuque en relevant lentement mes cheveux, les yeux fermés, comme pour tenter de lui faire croire que j'apprécie réellement ce que je suis en train de faire.

Je les ouvre à un moment, juste pour voir où en est l'excitation de Joe, et de là, me préparer à une éventuelle et brusque attaque de mains sur moi. Je suis bien loin du compte. Il me regarde comme il aurait regardé un vulgaire film porno. Les yeux vides, sans expression. Je continue mon petit jeu, laissant mes mains glisser sur le haut de mes seins dans un geste des plus banals. Je jette un coup d'œil furtif à ma montre, que j'ai gardée au poignet. 14 h 29. Plus qu'une demi-heure.

Ce contexte est tellement irréaliste pour moi. Je n'entre pas dans le personnage de la fille aguicheuse, argent ou pas. Je suis trop entière pour faire semblant. Je veux rentrer chez moi, qu'est-ce que je fais ici ? Je ne peux me résoudre à descendre mes mains plus bas, elles restent bloquées au bas-ventre. Je ne suis pas comédienne à ce point.

– Touche-toi plus, il faut que tu continues à m'exciter.

Bien évidemment, cela ne lui convient pas. Je perds tous mes moyens de nouveau, laissant tomber mes bras le long de mon corps en signe de découragement. Je ne sais pas comment m'y prendre, où poser mes mains. Je me sens godiche, et nullissime en face de lui, et en même temps je crois qu'à ce moment précis, je n'en ai plus rien à foutre. 14 h 34.

— Ce n'est pas possible. Je n'y arrive pas.

— Je vois. Tu es plus du genre à te faire dominer… répond-il d'une voix absurdement coquine.

Nerveusement, j'ai envie de rire de nouveau devant cette tentative minable d'excitation, mais je me retiens. Si l'on y réfléchit un peu, ce n'est pas faux : qui a envie de dominer quelqu'un qu'il ne désire pas ? Ou même de participer ? Si, en fait une seule catégorie de personnes : celles qui ont besoin d'argent.

Une seule réponse lui aurait convenu, lâchée d'une voix enfantine : « Oui, j'ai très envie que tu sois mon maître. » Bien entendu, j'en suis absolument incapable. Tout cela ne se passe pas du tout comme je l'avais prévu. Je pensais me faire baiser rapidement et basta. C'est bien ma chance de tomber sur un pervers…

— Viens, assieds-toi sur le lit, lance-t-il au bout d'une minute de balancement de lèvres, je vais prendre les choses en main.

.Le ton est ferme, les choses sérieuses commencent. Ses fantasmes prennent le pas sur sa personnalité.

Après avoir répondu à ses ordres, je me retrouve assise à ses côtés, sur le dessus de lit miteux, qui est certainement là depuis l'ouverture de l'hôtel à en juger par sa couleur indéfinissable, tiraillée entre le bleu et le vert.

Une nouvelle fois, je réponds à ses attentes sans broncher ; un dernier effort, Laura. 14 h 36. Je suis à présent seins nus sur le lit. Ses yeux, son visage, son sexe en redemandent. *Vas-y, mate-les bien, te gêne pas.* S'il continue à les admirer de la sorte, je n'aurai peut-être même pas à lui tendre le reste de mon corps.

– Allonge-toi sur le dos.

Aïe. Pas con le mec. 14 h 41.

Il pose donc sa main sur le bas de mon cou et me pousse doucement vers le bas. C'est la première fois que je sens sa paume sur mon corps, la première fois qu'il me touche.

Sur le dos, j'admire le plafond écaillé de toutes parts en attendant de sentir sa peau contre la mienne. Sa main est venue au moment où mon attention s'est relâchée, je tressaute mollement, pas totalement surprise. D'abord, il commence par le ventre et remonte dans un mouvement lent vers le cou. Il veut sans nul doute créer une étreinte sensuelle, mais cela ne peut pas avoir le moindre effet sur moi. Sa deuxième main vient aussi. Les va-et-vient sur le haut de mon torse se font plus rugueux, plus intenses ; il accélère le rythme à mesure que son érection grandit. Je n'ai pas encore ouvert les yeux une seule fois, tâchant de croire que tout ceci n'est qu'un très mauvais rêve.

Je ne sais plus si j'ai envie de vomir ou de pleurer à force de sentir ses vieilles paluches sur moi. Je suis un corps mort étendu sur le lit. Après tout, il a commandé un corps, il l'a. S'il m'avait demandé d'en faire plus à cet instant, je l'aurais giflé.

Au lieu de cela, la danse corporelle s'arrête. Il se redresse. Je m'attends à une nouvelle requête des plus bizarres.

– Assieds-toi, on va parler, lance-t-il.

Je ne sais pas si c'est une blague ou pas. Devoir discuter avec lui, est-ce dans le contrat ? Je suppose que, puisqu'il me paye, il peut quasiment tout se permettre.

– Pourquoi tu es là aujourd'hui ?

La question à dix mille dollars ou comment mettre une étudiante dans le bain.

– Tu as quelqu'un dans la vie ? Que fais-tu à V. ?

Les questions deviennent très personnelles. Je ne risque pas d'accepter de lui donner la version réelle de ma vie : ce serait dépasser toutes les limites du supportable que de lui laisser quelques indices sur l'existence que je mène. Et puis, je ne suis pas payée pour dire la vérité.

– Non, je n'ai personne dans ma vie.

14 h 49. Dix petites minutes qui s'avèrent pourtant redoutables.

– Il est pour toi, cet argent ?

Je fais non de la tête. Après une pause, il dit :

– C'est bien, ce que tu fais.

Vraiment ?

– Tu sais, moi aussi j'ai des personnes qui comptent sur moi. Je suis divorcé, j'ai une fille. Un peu plus vieille que toi. Je me suis remarié, avec une très belle femme, il y a de ça un petit moment maintenant. Le sexe avec elle, ce

94

n'est pas vraiment ça. D'ailleurs ça fait bien longtemps que j'ai laissé tomber l'idée de lui faire partager mes fantasmes. Ce n'est pas facile, tu sais, de devoir faire face à quelqu'un qui ne te désire plus.

Ce qui n'est pas facile pour moi, à ce moment précis, c'est de l'entendre déballer sa vie. Je ne comprends pas pourquoi il a décidé de se confier à moi, qu'il voit pour la première fois. Inévitablement, si je continue de l'écouter, je vais imaginer sa vie, coller des images sur ce qu'il est en dehors de cette pièce. V. est une petite ville, et la possibilité de croiser Joe en balade familiale n'est pas exclue.

Dire qu'en sortant d'ici, il va certainement la rejoindre. J'en ai des frissons dans tout le corps. Je plains sa femme, en me demandant ce qu'elle aurait pensé si elle savait que son mari se tape régulièrement des jeunettes et que, par-dessus le marché, il leur parle d'elle pendant les « sessions ».

– Je ne veux pas connaître ta vie.

Je bouille d'énervement. Pour qui se prend-il à abuser des autres, lui qui n'est pas très clair dans sa tête et son mode de pensée ? Aucun son ne sort plus de ma bouche. Je croyais pouvoir faire la pute de façon mécanique, et voilà qu'on me cherche des poux dans la tête.

Joe réplique doucement :

– Rassure-moi, avec moi, tu joins l'utile à l'agréable ?

Le summum de l'absurde est à présent atteint. Je cherche dans ses yeux, son ton de voix, un indice qui me prouve qu'il ne pense pas une miette de ce qu'il vient de dire. Rien de tout cela. Il pense vraiment que je fais tout ça, pas seulement pour l'argent, mais aussi parce qu'au fond, j'aime vraiment ça. Dans sa tête de fou, une femme ne peut pas se donner seulement pour du fric, il lui faut une autre raison. Et toujours dans sa tête de fou, il se plaît certainement à penser qu'il n'est pas si moche. Ce serait donc si dur pour un vieux que sa femme ne désire plus de s'avouer que mon unique motivation est financière ?

Je reste donc silencieuse ; je n'ai même plus de colère en moi, je suis déroutée. Il reprend alors la danse sur mon corps à l'aide de ses mains, me touchant toujours le haut de ma poitrine, mes seins et mon ventre. Sa peau me brûle, me dérange, mais je ne laisse rien transparaître. Il ne descend pas vers le bas de mon anatomie, mon sexe est toujours vierge de ses mains, ce qui me soulage dans mon désespoir.

— La prochaine fois, je t'apporterai quelque chose, tu verras, tu aimeras ça…

Joe projette donc déjà que l'on se revoie. Je ne lui réponds rien une fois de plus, je ne vais pas lui hurler que c'est hors de question.

— C'est bon, tu peux te rhabiller, c'est l'heure.

Libération, il est 15 heures ! La fin est arrivée. Très ponctuel, il se relève.

Il fouille dans sa mallette tandis que je me rhabille prestement. Il continue sa flatterie.

— Je suis vraiment content, tu sais. Le premier contact a été super, ça m'a fait vraiment plaisir. Tu es magnifique, je ne m'attendais pas à quelqu'un comme toi. En plus, tu es sensible et avenante, j'apprécie beaucoup cela. Bon, bien sûr, tu as eu quelques réticences au début, mais moi aussi je suis timide, cela se passera mieux les prochaines fois, tu verras.

Une enveloppe m'est tendue, et devant lui, sans même me demander si l'usage ou les bonnes manières m'obligent à attendre d'être dehors pour recompter, j'admire mon butin. Ce n'est pas 100 euros, comme je le croyais, mais 250 euros que Joe me tend ! Deux billets de 100 et un billet de 50. Je n'ai jamais vu de billet de 100 euros. Ma seule préoccupation à la vue de tout cet argent est de savoir comment je vais sortir 100 euros de ma poche sans éveiller de soupçons. Je ne dépense jamais autant : les billets de 5 euros représentent mieux mon quotidien.

– On se reverra sur Internet. Par contre, si tu me vois sur Msn, ne viens pas me parler, c'est souvent ma femme qui est connectée sous mon nom.

Sur ce, nous descendons dans le même ascenseur par lequel nous sommes arrivés. Les gendarmes ne sont plus à la réception, mais à ce moment, je m'en fiche pas mal. Je flotte, cet argent nouvellement acquis m'a donné des ailes. Je vais m'en sortir à présent, en une heure j'ai gagné de quoi me débarrasser de quelques factures qui me poursuivent.

Pas moins de 250 euros pour me regarder, je l'ai vraiment pigeonné ! Quel con, et dire qu'il croit en plus que nous nous reverrons ! Jamais, c'est fini, une fois pas plus. Je crains qu'il se rende compte qu'il s'est fait avoir, alors je presse le pas, au cas où. Je veux aussi laisser l'hôtel loin de moi, oublier vite.

Je me sens tellement soulagée que tout ceci soit fini que je ne pense à rien d'autre. Je ne saisis pas encore que Joe le malin m'a manipulée par ses flatteries et ses mots doux, et qu'il sait exactement ce qu'il fait.

Tout ce à quoi je pense, c'est ce fric qui est à présent mien et qui va me permettre de souffler financièrement pendant un temps. Je trouverai un autre moyen la prochaine fois. En tapotant ma poche de jean où se trouve l'enveloppe salvatrice, j'ai souri. Oui, une fois seule, j'ai victorieusement souri.

Chapitre 9

L'amoureux

12 décembre 2006

Juste après la rencontre avec Joe, je n'ai pas envie d'aller tout de suite au travail. J'ai une demi-heure devant moi. Un coup de fil à mes amies et je prends le chemin de mon café favori, celui que tient mon pote Paul dans le centre-ville.

Arrivée au lieu du rendez-vous, je souris naturellement. Rien sur mon visage ne laisse deviner ce que j'ai fait une demi-heure plus tôt. Nous échangeons des plaisanteries, exactement ce qu'il me faut pour ne pas penser à l'heure précédente. Après une bonne heure passée à vérifier les derniers potins, voici le moment de régler la note.

– Les filles, je suis désolée, mais je n'ai pas de quoi payer mon café. Est-ce que vous pensez que vous pouvez me l'avancer ? Je vous rembourserai tout ça bientôt, promis.

Je ne peux décemment pas sortir mon billet de 100, ni même celui de 50 euros. Elles n'auraient pas compris, moi qui n'ai jamais un rond. Elles me connaissent bien et savent que je n'ai pas souvent de quoi payer. Elles se sont emparées du ticket de caisse sans rien dire, pour se partager à deux l'addition.

– Pas de problème, Laura. La prochaine fois, ce sera ta tournée, lance l'une d'entre elles en riant.

Elle n'y croit probablement pas. La majeure partie du temps, je suis tellement à sec que je ne peux même pas m'offrir mon propre café. Je réclame souvent qu'elles passent chez moi, de préférence à une rencontre dans un bistrot, pour éviter d'avoir à quémander. Pourtant quand je touche ma paye, je les invite toutes pour un verre, juste un, mais qui nous réconcilie financièrement.

Se doutent-elles de quelque chose aujourd'hui ? J'essaie au maximum d'être moi-même : joyeuse et disponible. Ces derniers temps ont été durs, mais je ne leur ai jamais rien avoué. Quand elles viennent chez moi, elles me demandent si j'ai de quoi grignoter, je plaisante en disant que je n'ai pas le temps de faire des courses.

Malgré tout le mal que je me suis donné pour leur cacher ma situation précaire, mes amies ne sont pas dupes. Sans en mesurer l'importance, elles voient quand même bien que je galère. Cela fait longtemps à présent qu'elles me payent mes cafés, elles n'y font plus vraiment attention. Ces situations me mettent quand même dans des états d'embarras passagers. Mais cette fois-ci, je me rappelle avoir ressenti un sentiment très lourd, plein de culpabilité : l'argent est dans ma poche. J'ai de quoi leur payer de nombreuses tournées avec ce que je viens de gagner.

Le soir, je retrouve Manu dans un bar, sans rien commander pour moi. Je l'observe finir sa pinte de bière :
– Ça va, ma belle ? Comment s'est passée ta journée ?
– Bof, journée banale, rien de spécial.
Tu parles ! Ça a été tout sauf une journée banale, mais je me vois très mal lui confier : « Écoute, ça va, journée plutôt normale. Avant le boulot, je me suis fait tripoter par un vieux mec que je ne connaissais pas hier, et en plus il m'a payé 250 euros. Tout ça pour que je puisse te filer le fric de ton loyer et de tes factures pendant que tu fumes et offres des tournées à tout le monde ! Pas mal, avoue. »
Une fois que son taux d'alcoolémie lui semble convenable, nous nous mettons en route vers notre « nid douillet ». Il me fait rire sur le chemin du retour, en me racontant des bêtises. Manu est toujours plus guilleret lorsqu'il est un peu pompette, je pense qu'au fond je le préfère comme ça.
Nous sommes rentrés dans l'appartement en silence, l'euphorie de la soirée, de notre relation, est passée. Nous nous sommes préparés pour dormir comme un couple marié depuis vingt ans. Au vu de son état à la sortie du bar, je peux essayer peut-être de l'exciter un peu ce soir. J'avoue y avoir pensé, juste une seconde.
Manu et moi n'avons que peu de relations sexuelles : il a ce que l'on appelle communément des « pannes ». Tous les couples qui sont ensemble depuis quelques

années se forcent à penser que ce ne sera que passager. Dans mon cas, je commence à trouver le temps long et les plaisirs personnels assez lassants. Depuis un certain temps maintenant, s'il ne vient pas me chercher, je laisse tomber. Moi qui suis une personne qu'on peut définir par le terme galant de « charmeuse », je ne le désire plus. Inquiète, j'ai même consulté ma gynécologue, qui m'a rassurée en me disant que ce genre de choses arrive souvent lorsque l'on ne se sent pas désirée par l'autre. En plein dans le mille ! Entre ses semi-érections et mes sécheresses vaginales, nous faisons une belle équipe. Comme la plupart des gens, j'aime le sexe et le considère comme essentiel dans un couple ; ce n'est donc pas un hasard si ma relation avec lui bat sérieusement de l'aile. J'en suis arrivée à un point où je veux juste qu'il me baise. Avant ce soir. Car ce soir, j'ai réalisé que je ne le désirerai plus jamais.

Très bizarrement, lui ne semble pas s'en soucier plus que ça. Ses seuls points d'intérêt ces derniers mois semblent se limiter aux sorties et à ses cours. Sans nous l'avouer, nous savons que notre couple vit ses derniers instants. Nous l'acceptons, sans broncher, car nous savons que nous n'y pouvons finalement rien. Lorsque l'amour s'en va, il est très difficile de le rattraper, même au prix d'efforts constants.

Ce soir-là donc, à nous regarder nous brosser les dents en silence devant le miroir, je me rends compte une nouvelle fois que la situation ne peut plus durer. Notre relation est une immense farce. Est-ce à cause de ce qui s'est passé cette après-midi ? Certainement que cet événement a eu un effet déclencheur, mais la tension entre nous est latente depuis un moment.

Va-t-il me parler, me dire la moindre chose ? Je sens au plus profond de moi que, s'il ne dit rien, s'il ne devine pas ce que j'ai enduré aujourd'hui, je n'admettrais pas. Cela voudrait dire qu'il ne me comprend définitivement plus comme avant où il savait dans la seconde si quelque chose clochait chez moi. J'ai besoin de ses épaules, de ses bras pour me protéger et me faire oublier, juste ce soir.

Je me glisse entre les draps du lit. Le silence est tellement pesant. Pas ce soir, Manu, ce soir je t'en prie, ne m'ignore pas et prends-moi dans tes bras. Il me rejoint dans le lit sans m'adresser un regard. Déjà il semble vouloir adopter notre position devenue habituelle depuis quelque temps déjà : dos tournés l'un à l'autre. Je prends en pleine face ce que je me refuse à voir depuis des mois : notre relation est morte.

Maintenant qu'il s'est allongé et même lorsqu'il a déjà fermé les yeux, je garde espoir qu'il se mette à parler. Je me jette à l'eau :

– Bonne nuit.

– Mhh, répond-il d'une voix endormie.

Oui, bonne nuit, Manu. Au revoir.

Chapitre 10

La solitude

13 décembre 2006

La sonnerie stridente du réveil me sort sans ménagement de mon profond sommeil. Je n'ai pas réussi à m'endormir hier soir, je me suis tournée et retournée dans mon lit en repensant à la journée que j'avais passée. Je me suis levée, ai fumé des millions de cigarettes dans la cuisine. J'ai même essayé de travailler mon cours de civilisation italienne, en vain. J'avais l'esprit trop occupé. C'est seulement vers 5 heures du matin que, sous l'effet d'une immense fatigue, mes yeux se sont fermés d'eux-mêmes.

Manu dort encore. J'observe son dos nu tourné vers moi en silence. J'éteins le réveil et je me rappelle soudain. La journée d'hier. Le cauchemar. Les cauchemars.

Depuis cette nuit, je sais que tout est fini avec Manu. Notre relation, qui avait été un modèle de passion, de complicité au début, est lentement partie en fumée, sans que je puisse rien y faire. Je me sens seule ce matin en me levant, seule devant mon quotidien abrutissant. Je me souviendrai toujours de ce 12 décembre 2006 ; où tant de choses ont changé dans ma vie.

Mais déjà, je n'ai plus le temps de réfléchir. Je dois me lever et aller en cours. Je n'ai qu'une envie : m'enfouir dans mon lit et pleurer. Mais c'est impossible. Je le sais maintenant. Tous les jours, je vais devoir continuer à me lever. Je vais devoir continuer de vivre avec le poids de cette journée. À ce moment précis, je me déteste. Même en pyjama, caché par beaucoup de tissus, il me semble que mon corps souillé est exposé aux yeux de tous. J'ai l'impression qu'il transpire le vice, que l'on ne peut manquer de le regarder tellement il rayonne de laideur. Je me sens affreusement sale. Est-ce que ça serait encore pire si Joe m'avait totalement possédée ?

Je me lève en titubant. Mon corps me semble impossible à porter. Dans la salle de bains, je fais couler l'eau sur mon corps pendant un quart d'heure, d'abord sans bouger. Puis j'attrape une éponge et je frotte, de toutes mes forces, sur ma peau. Elle rougit soudain, sous les grattements intenses que je lui inflige. Je m'en fiche, je ne peux plus m'arrêter. Je voudrais ôter toute cette crasse et faire comme si hier n'avait jamais existé. J'ai tout perdu hier : Manu et mon amour-propre. Pour 250 euros.

Je cours pour ne pas rater le métro. Je suis rattrapée par la réalité : je n'ai même pas le temps de me lamenter sur mon sort, je dois partir étudier. Mais comment est-ce possible ? Je sais que je serai incapable de me concentrer, incapable d'écouter ou de lire quoi que ce soit. Il y a des voix dans ma tête qui me répètent inlassablement que je ne suis qu'une pute. J'ai vendu mon corps contre de l'argent. Je me suis donnée à un inconnu pour du fric pendant que mon petit ami était en cours. Je ne vaux rien, je suis sale et j'ai l'impression que je le resterai toute ma vie.

Je m'habille en silence et, doucement, je referme la porte de l'appartement sur ma relation avec Manu. Je ne pourrai plus jamais le regarder avec la même innocence. Je ne l'ai pas seulement trompé, cela va au-delà de ça. Je me suis trompée moi-même, je me suis prostituée. Ce mot arrache ma gorge quand je le prononce. Mais il revient naturellement, parce que c'est bien ce qui s'est passé.

Il gèle, ce matin. Je marche rapidement, pour semer le vent glacial, et qui sait, peut-être que ce rythme anesthésiera mes pensées. Je me sens découragée, honteuse, je n'ai même pas la force de pleurer.

Le trajet jusqu'à la fac n'a pas arrangé les choses. Quand on se pose dans le métro, on se met à penser, à réfléchir. Même si on ne l'a pas voulu, on est obligé de penser, à soi, à sa vie, à ce que l'on est. Je pense, sans m'en rendre compte, sans le vouloir. J'ai l'impression que tout le monde peut lire sur mon visage ce que j'ai fait hier. Je me sens rougir, et je plonge mon visage dans la grande écharpe à mon cou.

Même si je restais avec Manu, je suis certaine qu'il comprendrait tôt ou tard ce que j'ai fait. Mon péché est trop présent dans ma tête pour qu'il ne soit pas visible de l'extérieur. Je suis fatiguée de ma courte nuit, mais aujourd'hui, je sais que je n'arriverai même pas à somnoler.

Galérer n'était pas suffisant, je vais devoir à présent payer ma faute le restant de ma vie par mes pensées.

Je sors du métro chamboulée, ce bilan de vie est bien pire qu'il ne l'était avant. Une chose est sûre : les études seront mon refuge. À part cela, Manu était la seule chose qui valait vraiment la peine que je me dépense, que je donne de ma personne. Maintenant que tout ceci est fini, je ne peux pas me permettre de me laisser aller. Je dois reprendre ma vie en main. J'ai fauté, mais je me promets que cela n'arrivera plus jamais. La preuve est là : une seule fois a suffi à me faire perdre le garçon que j'aimais. Plus jamais ça.

Chapitre 11

Le parking

22 décembre 2006

« Plus jamais ça ! » Il fallait s'y attendre après tout, une fois les factures payées, le loyer remis à Manu, il ne me reste rien. La galère me guette à nouveau, je dois trouver un endroit pour dormir. Mais comment ? Une amie de fac accepte de m'héberger quelque temps. Elle habite seule dans son appartement et je crois qu'au fond, elle est plutôt contente d'avoir de la compagnie.

Chez elle, je me prépare pour un rendez-vous. J'ai répondu à une de ces innombrables annonces une nouvelle fois : ce n'est pas vraiment la demande d'étudiantes qui manque, j'ai donc trouvé facilement une nouvelle proie.

La vie a continué son train-train habituel et moi avec, seule, essayant de me débrouiller. À la recherche d'un autre appartement, je suis évidemment confrontée à beaucoup de dépenses que je ne peux assurer avec mon seul salaire de télémarketing. Je me retrouve une fois de plus dans une apparente impasse financière. Ce n'est plus une simple galère : je sens que si je ne fais rien, tout ceci va devenir récurrent et je n'aurai jamais la tête hors de l'eau. Si je veux vivre dans mon propre appartement, c'est le prix à payer.

J'ai déjà un job et mes cours, que puis-je faire de plus ? Je me pose cette question en connaissant la réponse d'avance. Cette porte reste ouverte malgré toutes les promesses que je me suis faites.

La première fois avec Joe, qui dans mon esprit n'en est pas vraiment une tant elle est éloignée de tout ce que l'on peut imaginer, éveille en moi des sentiments partagés. Me mettre nue devant lui, devoir subir ses fantasmes m'a fortement déstabilisée. Malgré tout, je considérais encore l'avoir pigeonné. Terrible première fois au final puisque, à nouveau à court de fric, je n'arrive pas à rayer cette option de ma tête.

J'ai donc pris contact avec un autre mec. En transe devant un ordinateur discret de l'université, j'ai cédé une nouvelle fois. Toujours dans le même état d'esprit, je n'envisage cette rencontre que pour renflouer les caisses, me débarrasser de toutes les dépenses qu'il me reste à faire pour l'appartement. Nous avons établi un tarif de 70 euros l'heure pour deux heures. Plus, bien évidemment, le resto que lui paierait.

Il est jeune, seulement âgé de 26 ans, et s'appelle Julien. Peut-être, me suis-je dit, que ce serait plus facile avec lui qu'avec un vieux comme Joe. Je suis curieuse aussi de connaître ses motivations, ce qui le rend prêt à payer une prostituée. Il me semble qu'à son âge, trouver une fille n'est pas si difficile que ça.

Nous nous sommes donné rendez-vous devant un restaurant du centre-ville. Cette fois, si je rencontre quelqu'un, trouver une explication ne relèvera pas du challenge. Nous sommes de la même génération, ce qui aide considérablement. Les gens ne se poseraient pas de questions comme ils auraient pu le faire s'ils m'avaient vue en compagnie de Joe.

Je n'ai pas à l'attendre, il est déjà là quand j'arrive. En un regard, je comprends pourquoi il m'a contactée. Il porte sur lui une frustration immense. Physiquement, il est plus que banal : pas spécialement grand, ni vraiment petit, il se tient d'une façon courbée. Il a une coiffure affreuse, celle qui le classe instantanément, une fois de plus, dans la catégorie beauf : ses cheveux sont relevés dans une sorte de coupe en brosse qui part sur les côtés. Aucun style de ce point de vue.

Son accoutrement laisse lui aussi à désirer, me dis-je une fois de plus, encline à la haine. Pull en laine fade de couleur bordeaux, jean sans coupe et baskets moisies. L'aspect général donne quelque chose de ridicule. Typiquement le genre de pauvre mec sur lequel je ne me serais jamais retourné dans la rue. Par contre, il aurait tout à fait pu être la cible de nos ricanements avec mes copines. Sommes-nous cruelles ? Peut-être bien.

Nous nous sommes fait la bise du bout des lèvres. Il est visiblement gêné et semble déjà regretter d'être venu. En rentrant dans le restaurant, j'espère que les gens ne croient pas que nous sommes ensemble. Orgueil mal placé. Je suis contente de ne pas m'être trop habillée pour cette soirée : j'ai juste enfilé un jean et un petit haut, sexy mais pas trop.

L'endroit est à son image : quelconque. Aucune décoration, des murs blancs, juste des tables alignées en ordre. La lumière blanche nue est probablement ce qui me dérange le plus, parce qu'elle nous expose trop. Je peux ainsi contempler le lieu où nous nous trouvons : affreux. Le restaurateur n'a même pas cherché à donner une impression de guinguette à la bonne franquette, ce qui m'aurait plu. Le mauvais goût doit donc me poursuivre dans mon expérience de prostituée, pour me rappeler un peu plus à chaque fois ce que je fais. De toute façon, même si j'avais apprécié cet endroit, le fait d'y venir ici avec un client m'empêche mentalement d'y retourner dans le futur. Un client ? Oui, un client, puisque je fais la pute.

La serveuse nous installe à une table proche d'un autre couple. Le restaurant est bondé et toutes les tables sont placées les unes à côté des autres. Je sens Julien se raidir un petit peu, il aurait préféré une table plus isolée pour ne pas se faire remarquer. Une fois assis, nous restons silencieux un moment, je devine que sous la table, il se frotte nerveusement les mains, ne sachant pas comment amorcer la conversation. Je décide de l'aider un peu, par pitié et surtout parce que je refuse de passer toute une soirée sans conversation.

— Tu fais quoi dans la vie ?

— Je travaille dans une entreprise dans la banlieue de V. C'est un travail plutôt intéressant et…

Il a suffi d'une phrase pour que je m'ennuie. Tout en gardant mes yeux fixés sur lui, je n'écoute pas le reste et laisse mes pensées vagabonder. Je serai incapable de me rappeler, le lendemain, ce qu'il a bien pu me raconter durant cette soirée. Je me souviendrai simplement d'une longue tirade, d'un monologue soporifique qui l'a rassuré et lui a permis de dissimuler son embarras évident. Ce mec est vraiment inintéressant, tout comme son job.

De peur de mourir d'ennui, et ne pouvant cacher plus longtemps que je m'emmerde comme un rat mort, je me mets à le provoquer un peu. C'est un de mes plus grands défauts dans la vie : dès que je repère une faiblesse chez quelqu'un, cruellement, j'en profite. Moi-même, je doute beaucoup de ma personne, mais je me débrouille toujours pour ne pas le laisser transparaître. J'ai donc beaucoup de mal à comprendre les gens qui n'y arrivent pas. Claire-ment, ce mec est un loser, me dis-je, et, manque de bol pour lui, cela transpire dans son comportement.

Je le coupe net dans son discours abrutissant, sans aucune gêne :

– Pourquoi tu viens ici aujourd'hui ?

– Ici ? Tu veux dire, pourquoi j'ai choisi ce restaurant ?

– Mais non voyons ! Ici, avec moi. Pourquoi as-tu posé une annonce pour chercher une « masseuse » ?

Je l'ai très visiblement déstabilisé. Mon affront et mon ton provocateur le mettent mal à l'aise. Il regarde fréné-tiquement à sa droite et à sa gauche pour voir si quelqu'un a entendu ma remarque. Je perçois déjà les perles de sueur sur son front. Quel con ! Pense-t-il vraiment que je vais passer le repas entier en faisant mine d'ignorer qu'il ne veut qu'une seule chose, me baiser. À moins qu'au fond il ne sache pas vraiment ce qu'il veut.

— Eh bien… euh… c'est assez compliqué, tu sais… Je n'ai jamais fait ce genre de choses avant, c'est la première fois.

Allez crache-le que tu es en manque de cul. Dans ma tête, j'en deviens réellement très vulgaire.

— Voilà, je suis marié… à quelqu'un de très bien, de parfait en fait… mais bon au niveau du sexe… je ne sais pas vraiment ce qui se passe… c'est compliqué…

— Je suis sûre que ce n'est pas si compliqué que ça. Ta femme est frigide, c'est ça ?

Là, on peut dire que je n'ai pas mâché mes mots. Il se redresse de surprise puis laisse ses épaules retomber, comme pour approuver ce que je viens de dire. Ce mec a des tabous que j'ai transgressés en une seconde. Merde, il n'y a pas de raison que je sois la seule à souffrir.

— Euh… oui, c'est ça… Disons qu'elle ne me désire pas vraiment. Au début, je pensais que ça allait passer, que ça n'allait pas durer, tu vois ? Nous sommes mariés depuis un an maintenant, mais rien n'a changé sexuellement parlant, au contraire. Elle me repousse tout le temps et je n'ose pas la forcer ou en parler avec elle. Je n'ai pas beaucoup d'amis à qui en parler non plus et…

C'était clair à présent, ce mec était désespéré. Certainement marié trop tôt à son amour d'enfance, pas de potes avec qui faire la fête, il se tourne vers les prostituées pour noyer son chagrin. Il n'a pas vraiment de vie sociale et espère combler ce vide avec moi, ce soir. De nouveau, il part dans un soliloque infini, m'expliquant qu'il se sent très seul, que son boulot ne l'intéresse pas le moins du monde au fond, et beaucoup d'autres choses que j'oublie dès qu'il les prononce. De nouveau, je le coupe brutalement :

– Un couple sans sexe, ce n'est que de l'amitié, dis-je sèchement.

Il me regarde comme si je viens de dire quelque chose de terrible. Je ne pense qu'à moitié ce que je viens de dire, mais ce type m'exaspère, et en sa présence, je me sens d'humeur cruelle. Cependant, il reste abattu devant mon affront.

Je me rends compte, à ce moment précis, que la vie d'une fille de joie ne s'arrête pas au sexe. Les clients contactent souvent des prostituées juste pour parler, se soulager de leurs vies ennuyeuses ou entravées. Je ne suis pas prête à supporter cette situation, à entendre l'homme en rut se plaindre. J'ai mes propres problèmes et, même si aucune échelle de douleur n'existe, c'est bien plus que je ne peux supporter. La conversation prend un dangereux tournant, et s'oriente à présent vers quelque chose de beaucoup trop personnel à mon goût. Je suis en train de devenir sa « psy-cul ». Ce mec m'oblige à penser, et cela, ce ne devrait pas être compatible avec la Laura fille de joie. Tout ça n'est pas franchement joyeux.

À mesure que le repas avance, j'en apprends de plus en plus sur sa vie et sombre littéralement dans son quotidien. Le pire est que, dans d'autres circonstances, j'aurais certainement trouvé ce mec très attachant. Dans un autre contexte, je l'aurais probablement consolé, mais là, j'en suis incapable. N'en pouvant plus de l'entendre se plaindre, je le coupe :

– Bon, dis-le, t'es en manque de sexe ?

Il tressaute. Je lui fais peur, et je me fais peur à moi-même. Tant de vulgarité et de provocation ! Mais je ne peux pas m'en empêcher. Ce mec m'emmerde à tourner autour du pot, j'ai décidé de prendre les choses en main, pour mettre fin à cette soirée.

– Euh… oui, lâche-t-il enfin dans un souffle, soulagé d'avoir été enfin exorcisé.

– Bon très bien, alors il est temps d'y aller, non ?

Je le vois pris de panique.

– Euh… y aller ? Maintenant ?

– Oui, maintenant, on a assez discuté pour ce soir.

Je n'en peux plus de cette discussion sans fin. Ce mec m'a contactée pour avoir un « massage », et au lieu de ça, nous nous retrouvons dans ce restaurant miteux à discuter de son existence vide. Je veux mettre un terme le plus rapidement possible à cette mascarade.

– Mais où ? Dans un hôtel ?

– T'as de l'argent pour un hôtel ?

– Tu sais, je ne sais pas… je ne sais plus si j'en ai vraiment envie.

– Bien sûr que tu en as envie. Si tu m'as contactée, c'est que tu en as envie.

Il plonge son regard de chien battu dans le mien, pendant quelques secondes. Je l'ai blessé dans son ego, et

Laura D.

aussi bas qu'il puisse être en ce moment, il l'accepte difficilement. Je n'envisage surtout pas de repartir chez moi sans mon argent après une soirée pareille. Au bout de quelques minutes, il lâche dans un souffle, comme pour ne pas avoir à le répéter :

– Je connais un parking près d'ici…

Ni une, ni deux, il a réglé la note. Il m'a fait monter dans sa voiture et, sans un mot, nous avons rejoint le fameux parking de supermarché. La nuit est très sombre, et il est difficile de percevoir quoi que ce soit. Je me sens protégée de la sorte, personne ne nous verra.

Malgré tout l'aplomb dont il s'est armé en sortant du restaurant, je sens une nouvelle fois que Julien est très mal à l'aise quand il doit couper le contact. Il se frotte encore les mains nerveusement, essaie de faire diversion en tripotant les boutons de sa voiture. Il a peur que quelqu'un nous trouve ici, et je dois avouer que j'ai les mêmes craintes que lui.

– Tu as froid ? me demande-t-il.

Nous sommes en plein hiver, et il faut reconnaître que la fraîcheur déjà installée de la nuit nous rattrape. La situation est glauque : nous deux, dans une voiture sur ce parking, vérifiant que personne ne nous verrait baiser.

– Oui, un peu.

– Très bien, je vais mettre du chauffage.

Je m'allume une cigarette sans demander la permission. Il fait tourner le bouton de chauffage, et tandis que la tiédeur envahit la voiture, il continue de se frotter les mains. Devant son indécision, je décide de me lancer.

117

Je pose ma main sur son jean, au niveau de l'entrejambe. Il n'a pas d'érection. Je lève les yeux vers lui pour chercher une explication que je connais déjà. Sans se défaire de ses yeux penauds, il me dit :

— Je suis euh... assez stressé...

Pour l'empêcher de se remettre à parler, je commence à exercer des frottements plus forts sur son jean. Sans réaction. Pendant cinq bonnes minutes, je poursuis ma tâche. Je reste persuadée que s'il n'a pas ce qu'il veut, il mettra fin au rendez-vous et ne me paiera pas. Après avoir psychologiquement enduré toute cette soirée, je ne peux pas partir sans récompense. Gêné de n'avoir aucune réplique physique, il bredouille timidement :

— Peut-être que si tu te mets toute nue...

Première approche ! Je suis surprise de cette répartie inattendue : elle ne correspond pas du tout au ton de sa voix, à sa façon d'être. Je me dévêts tout de même, dans cette voiture perdue au milieu du parking. À cet instant, je ne redoute qu'une chose : que quelqu'un nous découvre. Visiblement, Julien partage la même trouille que moi.

Après quelques minutes d'observation de mon corps dénudé, il se permet de le toucher. Je repose ma main sur son jean, en vain. Il me touche les seins en premier, pour les malaxer soigneusement. Il n'ose clairement pas descendre plus bas et préfère donc se concentrer sur mon torse. Il ne semble pas réagir à mes va-et-vient sur son pantalon. Au bout de quelques minutes, désespéré de constater le néant de la situation, il annonce :

– Dis, est-ce que tu voudrais bien…

Je comprends immédiatement ce qu'il veut. Pas besoin d'avoir un bac + 5 en prostitution pour cela.

Je lui déboutonne son pantalon et commence à lui faire une fellation. Peu à peu je sens l'excitation monter en lui. En un rien de temps, il ôte son jean et fait basculer le siège passager. Il vient poser son corps sur le mien pendant un instant, sort son préservatif, puis quelques secondes plus tard il vient en moi.

Je ne peux pas expliquer ce que je ressens en ce moment. De l'écœurement certainement. Ma tête est ailleurs, je ne sens plus rien. Julien est devenu « il », un « il » impersonnel. Le premier « il ». C'est trop, je ne peux pas le supporter en moi, je ne le veux pas en moi. Tout devient flou, je ferme les yeux. Je me sens déjà si sale. Je serre les dents de dégoût. J'éprouve un vide immense. Dans ma tête, je n'arrête pas de me répéter : « Ça y est, tu es une prostituée, tu abandonnes entièrement ton corps au sexe d'un inconnu. »

Je ne fais plus du tout la maligne. Plus de provocation, de crânerie. C'est lui qui gagne au final ; c'est lui qui a ce qu'il veut. Je dois penser à l'argent, ne pas oublier mon but, mais le moment est trop rude. Je suis dépossédée de mon être, je ne me suis jamais sentie aussi loin de moi-même. Je n'ai plus de larmes pour pleurer, juste des nausées pour exprimer mon mal de vivre, des factures qui s'amoncellent pour me forcer à comprendre pourquoi je fais cela. Manu, où es-tu ? Comment en suis-je arrivée là ?

Je ne veux plus qu'il me touche, pourquoi dois-je endurer cela ? L'injustice de ma situation me fait serrer les dents pour ne pas hurler. « Ce sera bientôt fini, Laura, n'ouvre pas les yeux, ce sera bientôt terminé. »

Il faut dire qu'il s'est vite arrêté. Il a joui et sa conscience prend maintenant le dessus sur sa libido :

— Euh... Laura... on ferait mieux d'y aller.

Je ne le regarde pas. Je pleure presque de joie de savoir que tout ceci ne durera pas.

— Je vais te payer les deux heures, ne t'en fais pas. Je te donne 140 euros.

— Oui, d'accord.

L'argent a la même odeur que celui que m'a donné Joe : il est rapide et tabou. Absolument pas facile.

— Je vais te ramener, d'accord ?

J'acquiesce de la tête. Nous nous mettons en route en silence. Je suis incapable de prononcer un mot.

Bien avant d'arriver chez moi, je lui demande de s'arrêter. Nous nous faisons la bise rapidement, passablement gênés.

— Au revoir.

— Au revoir, Laura. Bon courage.

Je descends de la voiture sans demander mon reste. Il démarre tout de suite.

Oui, du courage, il m'en faudra. Pour accepter non seulement la souillure, mais aussi l'idée que je suis déjà accro à cet argent qui me tombe si vite entre les mains.

Je rentre chez moi en pressant le pas dans la nuit noire

et glaciale. Tandis que Julien roule déjà vers sa femme qui l'attend bien au chaud, je m'endors seule dans mon lit. J'ai froid.

Chapitre 12

L'apparence

24 décembre 2006

Sur la table qu'a dressée ma mère pour l'occasion se trouvent une multitude de plats tous plus appétissants les uns que les autres. Et comme d'habitude depuis maintenant trois mois, j'ai une faim de loup. Nous sommes cinq à table, ce soir. Mon père a ramené un ami à lui pour lui épargner de passer Noël tout seul. Je suis toujours émue quand je vois mon père faire ce genre de choses, mais je ne peux comprendre qu'il n'ait pas les mêmes gestes avec moi.

La présence de cet ami anime la soirée et tout le monde discute gaiement. Tout le monde sauf moi. Je ne prends pas goût à la fête, je n'y arrive pas. Ces supposées vacances de Noël sont en fait pour moi un cadeau empoisonné. Les partiels de la rentrée m'obligent à réviser de plus belle. Je continue de travailler, sous-payée, dans la boîte de télémarketing pendant les deux semaines de congé, je ne peux pas me permettre de poser de journées. Je dois gagner de l'argent. Mais quand je ne travaille pas, je tourne en rond chez moi. Le fait de ne pas aller à l'université ces derniers jours me déstabilise. Les études sont mon refuge pour ne pas penser. Me rendre à la fac me permet de m'évader de chez moi, d'avoir un minimum de vie sociale. Je ne vois quasiment plus mes amies depuis septembre. Mon emploi du temps est divisé entre la fac et le télémarketing. Le reste de mon temps libre est entièrement consacré à mes études, mes lectures, mes cours.

Cette réunion familiale est une mascarade. Mon père joue les invités parfaits, resservant ostensiblement son ami. Il est même aux petits soins avec moi, il veut donner une image de père parfait et attentionné. J'écoute mon père parler, comme jamais il ne le fait quand nous sommes tous les quatre. Mon père est un magicien, il sait se transformer en public et mettre un masque.

Cela ne prend pas avec moi. Les autres années, j'aurais accepté ce petit jeu, même en sachant que le lendemain il ne m'adresserait pas la parole. J'en aurais profité pour le serrer dans mes bras. J'aurais accepté de faire croire que nous sommes très proches, tout simplement parce que j'en crève d'envie. Mais cette année est différente. Je n'en peux plus de quémander son amour, je ne supporte plus d'être ignorée de la sorte. S'il était vraiment attentif, il se serait rendu compte depuis longtemps que je galère comme personne, que j'ai perdu plus de douze kilos depuis septembre, que je me tue à la tâche, que je souffre à en pleurer tous les jours. Peut-être que s'il prenait le temps de se pencher sur ma personne, il comprendrait ce que je dois faire pour trouver de l'argent.

Je me pose trop de questions pour apprécier la soirée. Je gâche le plan de mon père : l'invité voit bien que je n'ai pas envie de fanfaronner. Je me fous des regards désapprobateurs paternels, je ne veux plus jouer la comédie. Ma mère essaie de meubler les silences comme elle peut. Elle doit certainement avoir peur que je fasse une réflexion insolente ou désobligeante. Mon père compte sur ma sœur pour faire la conversation. Il lui pose une avalanche de questions sur le lycée, ses amis, tellement qu'elle n'a presque pas le temps de reprendre son souffle. Mais la situation la ravit, elle a l'impression d'être vraiment écoutée, pour une fois.

Après un dîner incroyablement copieux, le moment est venu d'ouvrir les cadeaux. Ma mère adore Noël et fait très attention à respecter la tradition. Elle a installé un grand sapin dans le salon, et mis les cadeaux au pied. Comme chaque année, elle a également ressorti la crèche entière. Personne n'est croyant dans ma famille, pas même elle, mais elle adore se prêter au jeu. Je sais qu'au fond, elle regrette de ne pas pouvoir nous offrir un Noël fantastique avec des milliers de cadeaux. Alors, comme pour se faire pardonner, elle met le paquet sur la décoration. J'adore ma mère et je suis émue par tout le mal qu'elle se donne pour que nous soyons heureuses, pas seulement à Noël, mais tout le reste de l'année. C'est une maman poule à plein temps, même si elle nous a toujours parlé comme à des adultes. Et elle réussit : de voir cette crèche habitée de petits personnages et le sapin scintillant, je suis contente d'être avec elle ce soir.

Pas de montagne de cadeaux pour nous à Noël, nous avons toujours été habitués à n'en recevoir qu'un seul. Maman se débrouille toujours pour nous trouver quelque chose qui a une importance particulière, pour nous faire oublier que nous n'en aurons qu'un. Ma sœur et moi n'accordons plus vraiment d'importance à tout cela, même si, plus petites, nous étions folles de jalousie lorsque nos amies d'école exhibaient des cadeaux sortis tout droit des mille et une nuits. Avec le temps, je me dis que c'était une réaction normale.

Cette année plus que les précédentes, je ne m'attends à rien de spécial. Je n'ai rien demandé de particulier, tellement j'ai l'impression d'avoir besoin de tout. Mais « tout » est inatteignable, utopique pour mes parents.

J'ouvre donc le cadeau qui m'est destiné. Je déchire le papier vert pomme lentement et je découvre une paire de chaussures à talons noirs. Je les avais vues avec ma mère dans un magasin à la Toussaint, et je lui avais dit qu'elles me plaisaient. Je n'aurais pas pu penser qu'elle était retournée les acheter ensuite. Je serre très fort ma mère dans mes bras pour la remercier. Même si je sais qu'il n'y est pour rien dans le choix du cadeau, je remercie mon père de loin. Nous ne nous embrassons pas, nous ne nous serrons pas.

Je pense à Manu. Je n'ai pas de nouvelles de lui depuis que nous nous sommes séparés. Mes parents ont été soulagés de savoir que nous n'habitions plus ensemble, ils ne l'ont jamais vraiment aimé, le trouvant snob. Je crois qu'aux yeux de ma mère, personne ne sera jamais assez bien pour ma sœur et moi.

Si elle savait… Elle aurait certainement détesté Manu de plus belle. D'abord, elle aurait pleuré pendant des jours et des jours. Puis sa tristesse se serait transformée en colère et elle aurait cherché un coupable. Elle se serait en premier accusée elle-même, et Manu ensuite. En apprenant tout ce qu'il me faisait payer, sans quasiment rien débourser, elle l'aurait sans nul doute tenu responsable de ma prostitution. Elle serait entrée dans une rage folle. Elle aurait tenté de chercher des réponses sans y parvenir. Avec le temps, tout cela n'aurait été qu'un mauvais souvenir, et elle m'aurait aidée à l'oublier. Mais elle aurait passé le reste de sa vie avec cette blessure, s'en voulant à tout jamais. Non il ne fallait jamais qu'elle sache.

La soirée se déroule tranquillement, sans éclats de voix ni disputes. Je me décide à partir dans ma chambre assez tôt. Je veux être matinale, demain, pour réviser. Dans l'après-midi, je reprendrai le train, car je travaille dans la boîte de télémarketing dès le 26 décembre. Pas le temps de souffler, mais cela paiera un jour, ça ne peut que payer.

Je pars me coucher rapidement, en faisant un petit signe de main général à l'assemblée. Une fois dans ma chambre, je me penche sur un texte espagnol. Je ne peux pas m'en empêcher, dès que je trouve une minute, je révise. Je sais que je vais réussir sans problème mes examens, j'ai beaucoup trop travaillé pour cela. Mais c'est plus fort que moi, je suis une perfectionniste, il faut toujours que tout soit parfait. Et puis travailler m'empêche de penser à autre chose.

Dès le lendemain, je suis dans un train qui me ramène à V. Et comme d'habitude, je n'ai pas grand-chose à raconter sur mes deux jours passés avec mes parents.

Chapitre 13

L'oppression

7 janvier 2007

Mon expérience avec Julien ne m'a malheureusement pas arrêtée. Elle a eu l'effet totalement inverse. Les nouvelles annonces sur Internet ne s'arrêtent jamais et il me semble parfois que le monde est rempli de gens insatisfaits qui ne seront jamais rassasiés. Je ne crache pas dessus cependant, puisque ces inconnus et leurs envies sauvages m'aident temporairement à résoudre mes problèmes financiers.

Je prends donc contact avec un homme plus âgé, très certainement de peur de retomber sur un indécis sans le sou comme Julien. Cette fois-ci, le mec s'appelle Pierre. Tout ce que je connais de sa vie est sa profession : homme d'affaires dans une entreprise renommée. Ce point m'a mise en confiance, car il suppose une situation financière vraiment rassurante. La décision est déjà assez dure, et ce milieu est une véritable roulette russe. Autant être sûre, dans la mesure du possible, de se faire payer. Un rendez-vous a été fixé sur la grande place du centre-ville, en début d'après-midi. Il préfère que l'on se rencontre dans le centre-ville pour ensuite partir chez lui où, a-t-il précisé, « nous serons plus tranquilles ». J'ai d'abord opposé un refus : il était hors de question de me retrouver chez quelqu'un que je ne connaissais pas, où il pourrait m'arriver tout et n'importe quoi. Mais après réflexion, il a réussi à me convaincre : nous serons à l'abri du regard éventuel de quiconque puisque son appartement est vide. Lui aussi tient à son anonymat et ne veut pas prendre le risque de se faire repérer dans un hôtel de la ville où il pourrait rencontrer du monde. Notre dernier mail s'est donc conclu sur le fait qu'il viendrait me chercher discrètement et que nous irions chez lui dans sa voiture. Je me dis qu'après tout je saurai si je peux lui faire confiance en le voyant. Je mesure le danger auquel je m'expose en agissant de la sorte, mais il me faut cet argent. J'en veux toujours plus maintenant.

À l'heure dite, je marche en direction de la fameuse place au centre de V. J'ai mis une de mes robes préférées : grise, bouffante au niveau des épaules. Elle rehausse ma taille et met en évidence un peu de mes jambes, que j'ai enfouies dans une paire de bottes très à la mode. Je suis très élégante avec cette tenue dont je connais l'effet sur les hommes. Elle me donne un air de femme-enfant qui attire les regards. Je l'ai clairement mise dans un but financier : plus je serai belle, plus il sera prêt à payer. Et puis, aujourd'hui est une belle journée d'hiver, très ensoleillée. Je me suis réveillée de bonne humeur et j'ai juste eu envie d'être jolie. Pour moi, pas pour lui. Au fil de mon trajet, je vois déjà les hommes me dévisager et admirer ma robe sans un mot. Oui, aujourd'hui, je sais que je suis jolie.

Au loin, j'aperçois des stands animés et une affluence autour des victuailles présentées. J'ai oublié ! Il y a aujourd'hui une foire sur la grande place où des producteurs vendent leurs produits du terroir à des touristes curieux. C'est en soi un bon et un mauvais point : avec autant de monde, je peux me perdre facilement dans la foule. Cependant, je risque aussi de croiser des gens que je connais, et ce sentiment se transforme rapidement en une peur immense.

Je décide de me tenir un peu à l'écart de toute l'agitation, pour pouvoir rapidement repérer l'homme dénommé Pierre et l'entraîner plus loin. Il m'a précisé qu'il porterait un costume noir avec une écharpe rouge, quelque chose qui se remarque mais qui est adapté aussi aux intempéries.

Scrutant les passants, je commence à m'impatienter au bout de cinq minutes. Je ne suis pas à l'aise et tape nerveusement mes mains sur mes bras croisés. Je suis persuadée que les gens autour de moi remarquent mon attitude bizarre, ce qui me rend d'autant plus paranoïaque.

Soudain, j'entends quelqu'un crier mon nom derrière moi, quelqu'un qui a une voix plus que familière. Je la reconnais tout de suite et elle me glace le sang.

– Laura ! Laura !

J'avoue avoir pensé à ne pas me retourner, lâchement, et à partir en courant. Au lieu de ça, je tourne la tête dans un mouvement lent et qui se veut naturel.

– Maman ? Mais qu'est-ce que tu fais là ?

J'ai bredouillé, essayant de maîtriser ma panique intérieure.

Ma mère. Ici, sur la place du centre-ville. Pendant que moi, j'attends un client qui va me payer pour que je le laisse me posséder. Je suis pétrifiée, comme une enfant qui vient de se faire prendre les doigts pleins de confiture avant le repas. Je bégaie, sachant que si je ne prononce pas tout de suite des paroles intelligibles, ma mère va avoir des soupçons et comprendre que quelque chose cloche.

– Tu sais que toute la famille de Nantes nous rendait visite aujourd'hui ? Tu te rappelles ? On s'est dit que ce serait sympa de venir faire un tour ici tous ensemble, pour leur montrer un peu V.

Ah oui, super sympa, en effet. Derrière elle se trouvent mon père et les fameux représentants de ce qu'elle a appelé la « famille ». J'ai complètement oublié ce facteur-là : la foire, ma famille qui est là ce week-end, mes parents potentiellement capables de venir à cette putain de foire. Beau tableau : ma mère, mon père, mon oncle et ma tante et deux ou trois autres inconnus que je n'ai pas vus plus de trois fois dans ma vie mais que je reconnais comme faisant partie de ma généalogie. Je suis coincée, il faut que je prétexte quelque chose immédiatement. J'essaie de ne pas regarder autour de moi à la recherche de l'inconnu Pierre, mais je ne peux m'empêcher de lancer des regards furtifs à droite et à gauche.

Ma mère doit bien sentir que je ne l'écoute pas vraiment, mais elle ne peut absolument pas imaginer pour quelle raison. Enthousiasmée par ces retrouvailles inattendues, elle décide d'exprimer sa joie à notre famille qui se trouve derrière elle. J'ai peur de voir un costard et une écharpe rouge se retourner et m'adresser la parole si quelqu'un crie mon nom trop fort.

– Hé, regardez qui est là ! C'est Laura !

– Ah mais c'est Laura ! Quelle bonne surprise ! Comme tu as changé ! Une vraie femme ! Tu venais à notre rencontre ? s'extasie ma tante.

J'aime beaucoup ma tante, même si je la vois très peu, mais aujourd'hui, je n'en ai strictement rien à foutre. Je me trouve malgré moi au beau milieu d'une énorme réunion familiale sur la place publique alors que moi la prostituée, j'attends un de mes clients. Quelle idée aussi de donner un rendez-vous ici en plein après-midi ! J'ai été stupide, mais il est trop tard pour se lamenter maintenant, il faut sortir de cette situation au plus vite.

Soudain, j'aperçois dans la foule une écharpe rouge qui flotte au vent. L'homme qui la porte est dos à moi et marche vers le centre de la place. Il a dû lui aussi m'attendre sur le côté et, ne me voyant pas venir, cherche tout de même à s'assurer qu'il ne s'est pas fait avoir. La cinquantaine, il porte effectivement un costume, il a une apparence très élégante. Je sais dans la seconde qu'il s'agit de mon homme.

Je suis interrompue dans ma stupeur par ma tante qui attend toujours sa réponse.

— Alors Laura, tu rêves ?

Elle et ma mère se retournent pour voir ce que je peux bien fixer si intensément. Très heureusement, Pierre le businessman a disparu dans la foule.

— Euh… oui, désolée, un petit peu, dis-je en souriant pour couper court aux investigations de leurs regards. J'attends des amis depuis un moment maintenant, je pensais les avoir aperçus, mais je me suis trompée.

Soudain j'entraîne ma mère et ma tante par le bras à l'opposé de l'endroit où l'homme se trouve. Comme si nous étions trois bonnes copines. Je vois mon père et le reste de la famille qui nous suivent tout en discutant.

— Ah bien sûr, cette petite est occupée, c'est normal à son âge ! On ne va pas t'embêter plus longtemps, jolie Laura ; on retourne à nos emplettes ! Tu sais que cette ville est magnifique ?

Elle ne peut plus s'arrêter de parler. Ma tante est une vraie pipelette. Mon vieil homme d'affaires a dû filer. La perspective de perdre de l'argent à cause d'une rencontre importune avec ma famille me hante. Même si deux mondes qui ne se côtoient pas se sont frôlés aujourd'hui, il me faut cet argent pour sortir la tête de l'eau. Je suis consciente de jouer avec le feu, mais en moi, une voix me répète que je ne peux faire autrement.

Sans pouvoir m'en empêcher, mes yeux reprennent leurs allers et retours fous sur les côtés. Ma tante n'y prête pas attention, mais ma mère a remarqué mon impatience.

– Allez, nous nous remettons en route, bonne après-midi avec tes copines, ma chérie. Viens dîner à la maison ce soir, si tu veux. On peut te récupérer après nos courses, tu passes la soirée avec nous, et puis tu rentres demain en train. Je sais que c'est un peu long mais... Ou tu as peut-être quelque chose de prévu...

– Je verrai, maman, c'est gentil. Je ne sais pas encore ce que je vais faire. Je travaille demain, tu sais...

Je suis en fait déjà en train de travailler. Je fais des adieux qui me semblent interminables à ma famille. Ma tante me serre longuement dans ses bras en me murmurant qu'elle espère me voir ce soir, que je suis très jolie et blabla... Mon père, au contraire, me salue de la main, sans me prêter d'attention réelle. Sent-il le vice et le péché sur ma peau ?

Je pars en sautillant, l'air de rien, mais dans ma tête, je cours à toute allure. J'essaie de regarder de manière discrète autour de moi pour pouvoir repérer mon homme, je sais que ma mère me regarde encore. Je croise les doigts pour qu'il n'ait pas pris la poudre d'escampette devant mon retard flagrant.

En cherchant des yeux une écharpe, je l'aperçois subitement à l'autre bout de la place. J'ai si bien réussi mon coup en entraînant ma famille loin de lui qu'il se trouve maintenant à l'opposé de moi, je dois à nouveau être discrète. Je suis déterminée à avoir cet argent aujourd'hui. La rencontre avec mes parents a été une douche froide, mais je n'ai pas le temps d'y penser, pas le temps de réfléchir.

J'atteins enfin mon businessman, je ralentis mon pas pour ne pas attirer l'attention. L'homme ne s'attend à personne en particulier, je ne me suis pas décrite, et à cet instant, je ne le regrette pas. Il fait les cent pas devant moi. Je me colle juste derrière lui et le dépasse prestement. Une fois à sa hauteur, je lui murmure à la manière d'un vrai dealer :

— C'est moi Laura, suivez-moi. Ne vous retournez pas et continuez d'avancer, ma famille est là.

J'ai dit cette phrase dans un souffle. Je sens la pression autour de moi, je veux vite m'échapper de cette situation si oppressante.

Je le sens marcher derrière moi, il suit consciencieusement mon pas. Je continue ma marche à pied digne d'un champion d'athlétisme pendant cinq bonnes minutes sans me retourner une seule fois. Quand enfin je suis certaine que nous ne sommes plus exposés, je m'arrête pour reprendre mon souffle dans une rue déserte.

Je le vois maintenant de face. Il est assez grand, plutôt pas mal dans son genre. Affublé de son costume, on sent bien qu'il tente une imitation de James Bond sur le retour. Plutôt réussi en ce qui concerne la classe, moins pour la rapidité d'exécution. Je lui donne à présent plus de cinquante ans, à voir son corps de plus près. Cependant, il est définitivement à son avantage dans son costume. Mais à la seconde où je pose mes yeux sur son visage, je suis déçue. Ses yeux sont d'un bleu très pâle, ce qui en soi est assez envoûtant, mais ils sont vides de toute énergie. Ce mec donne l'impression d'avoir vécu dix années épuisantes, et aujourd'hui il ne lui en reste rien.

Entre lui déguisé en gracieux homme d'affaires et moi en jeune étudiante sexy, nous formons un beau couple : un père avec sa fille qu'il aurait bien élevée et à laquelle il aurait appris à s'habiller élégamment, mais certainement pas une prostituée de 19 ans avec son client.

– Bonjour, Laura. Quelle course !

Il parle si lentement que je ne vois déjà pas le bout de sa phrase pourtant très courte.

– Bonjour. Pierre, c'est ça ?

– Oui, c'est ça. Que penses-tu d'aller nous asseoir dans un bar quelques minutes pour nous remettre de nos émotions ? Après, nous nous mettrons en route.

Un bar lounge à l'angle de la rue fait notre refuge. D'abord parce que ni lui ni moi ne voulons continuer à courir dans les rues, et également parce que je veux me cacher des gens rapidement. On m'a trop vue pour aujourd'hui. Nous nous asseyons à une table dans le fond.

Après avoir passé commande, un silence de quelques minutes s'installe, ce qui me laisse le temps d'examiner l'endroit. Les serveurs sont assortis au lieu : beaux, très branchés. Cependant, ils nous dévisagent bizarrement, en chuchotant entre eux. Je fronce d'abord les sourcils lorsque, en nous apportant nos boissons, l'un d'entre eux ne répond pas à mon « merci » accompagné de mon sourire. Je devine en un éclair la raison d'une telle froideur. Le jeunot a compris que nous ne sommes pas père et fille malgré nos savants déguisements. Je l'imagine casser du sucre sur mon dos quand il repart derrière le bar pour préparer les cafés d'autres clients, plus convenables : « Attends mais je te jure ! C'est une pute, et lui c'est soit son mac, soit son client ! Ça crève les yeux ! »

Est-ce que ça crève les yeux tant que cela ? Pierre ne semble avoir rien remarqué et je n'ose lui en parler. Il engage la conversation tranquillement.

– On finit nos cafés et on part chez moi ?

Oui, le plus vite sera le mieux. Au milieu d'une gorgée de café, je hoche la tête en signe d'acquiescement. Ce dont je suis sûre après seulement quelques minutes passées avec lui, c'est qu'il est trop mou pour me faire le moindre mal. Je reste tout de même sur mes gardes, il faut se méfier de l'eau qui dort, comme dit le proverbe.

– Nous serons plus tranquilles qu'à l'hôtel, il n'y a personne chez moi en ce moment. Tu vas voir, cela va te plaire, c'est un bel endroit. Je suis propriétaire…

Après Julien, il est hors de question que je me laisse de nouveau avoir. Je ne veux rien entendre de sa vie et je le lui fais immédiatement savoir. C'est pour ce genre de raisons que je ne veux pas aller dans des cafés avec des clients : ils poussent à une convivialité que je ne veux pas me permettre. Je ne serais pas une bonne escort girl.

Cinq minutes plus tard, nous marchons dehors en direction de sa voiture. Tandis qu'il joue au pilote de formule 1 au volant de son automobile de luxe, je rêve de l'endroit où il m'emmène : une belle et grande maison avec un grand jardin, dans une banlieue lointaine où il n'y aurait pas de voisins aux alentours. Un jour, j'aurai la même.

Laura D.

Pierre restant silencieux, j'ai plus de temps qu'il n'en faut pour paniquer et commencer à mesurer les conséquences de mon acte. Je ne sais finalement pas où je vais, ni sur quoi je vais tomber. J'ai pris des risques cette fois-ci : qui sait, le gentleman qui parle plus lentement que son ombre va peut-être subitement se révéler être un cocaïnomane en manque qui, une fois sa dose ingurgitée, me sautera dessus. Hum, à le voir ainsi, lui qui, à un stop désert, prend dix bonnes minutes pour bien vérifier si le passage est libre, j'en doute.

Lorsqu'il s'arrête après seulement un quart d'heure de voyage, nous sommes en face d'immenses immeubles luxueux d'un quartier prisé de la ville. Très modernes, ils encadrent et délimitent le cœur de V. D'en haut, il doit y avoir une vue superbe. Pierre descend de la voiture. Ses pas interminables le vieillissent, malgré son costume de businessman dynamique. Le chemin jusqu'à son appartement est aussi long que pénible.

Nous arrivons enfin à son étage. Les couloirs fastueux sont nets, vides, impeccables. Tout ce qu'aiment les riches. On se serait cru dans un vrai hôtel privé. Nous voici devant sa porte, où je me dis que l'épreuve de la clé nous attend. J'ai envie de la lui arracher des mains pour la tourner moi-même dans la serrure. J'en ai déjà marre et je sens bien que je vais trouver le temps très long en sa présence.

Très heureusement, je suis distraite un instant de ce spectacle désolant lorsque nous pénétrons enfin dans son antre. Pierre l'escargot rampe en position verticale vers la cuisine, me laissant quelques instants admirer la vue de son intérieur. La pièce qui s'offre en premier à mes regards est le salon : fantastiquement grand, de couleur blanche, un vrai cliché de clip de rappeurs. La journée ensoleillée met d'autant plus en valeur son mobilier de luxe : minimaliste dans son ensemble, les rares objets de décoration qui ornent les étagères sont des statuettes africaines en ébène. Du goût, et du bon dans un très gros ensemble.

Je suis partagée entre une inévitable modestie devant toute cette opulence et une étrange fierté non dénuée de soulagement : il ne m'a pas menti, il gagne bien sa vie. Tout ce qui compte à présent est que je ne me retrouve pas dans un guet-apens entourée de libidineux débauchés.

Je n'ai pas le temps de me réjouir de mon sort – tout est relatif – que Pierre débarque déjà en mode gastéropode avec un plateau où sont disposés des verres. Il le pose sur la table basse du salon, puis, se tournant vers moi, me dit :

– Tiens, j'ai pensé que tu avais peut-être envie de grignoter avant de…

Sa phrase reste en suspens. Lui comme moi connaissons la suite. J'inspecte les victuailles. Il m'a amené un verre de lait et une tranche de pain d'épices. Merde ! Ce mec me prend vraiment pour une gosse, il cultive le fantasme de la femme-enfant jusqu'au bout. Je ne me suis pas rendu compte de l'imaginaire que je dégage pour les clients. Ou est-ce seulement lui ? À cause de ma robe enfantine ? Pierre me voit donc comme une gamine ; mais une gamine qu'il tripoterait très volontiers. Quelque chose cloche dans ce tableau. J'accepte la collation sans un mot, m'emparant déjà du pain d'épices pour calmer ma faim. Je bois le verre de lait.

Pierre se tient debout, une main posée sur sa hanche d'une façon qui manque totalement de naturel. Il me regarde picorer la tranche de gâteau en souriant, fier de son enfant qui se nourrit pour prendre des forces. Je lâche mon pain d'épices d'un coup en le regardant. Je suis sur le point de m'allumer ma cigarette quand Pierre me dit :

– Par contre, on ne fume pas chez moi.

Mon unique réponse est de recracher la fumée en le fixant dans les yeux. Il en est troublé, et, ne sachant pas comment réagir, préfère se concentrer sur autre chose.

– Un peu de musique ? lâche-t-il subitement.

Armé de la télécommande, il enclenche la chaîne hi-fi, qui ne semble pas prête à répondre à ses ordres. Il s'agace quelques minutes dessus pour carrément aller jeter un coup d'œil au problème par lui-même. Le comble du ridicule : le riche homme d'affaires achète du matériel pour l'unique raison qu'il est cher, mais ne sait pas s'en servir. Ses tentatives pour créer une ambiance langoureuse sont pathétiques. Tout ce qu'il a minutieusement prévu tombe à l'eau. Je ne souris même plus, ce mec me lasse.

La musique enfin se fait entendre, au bout de plusieurs minutes d'efforts. Je la reconnais tout de suite. Luz Casal. Cette chanteuse à la voix céleste a bercé mon enfance et mon adolescence. C'est la chanteuse préférée de mon père. Elle fait littéralement partie de la famille : nous connaissons tous ses albums, pas seulement ceux pour lesquels elle s'est fait connaître du grand public récemment. Je ne me suis jamais demandé si j'apprécie sa musique ou non : ses disques tournent en boucle à la maison. Elle m'a été présentée à un âge où l'on ne pose pas de questions sur les goûts de ses parents : on aime ce qu'ils aiment parce qu'on les chérit, eux. De ce fait, Luz Casal revient très logiquement dans mon esprit lorsque j'évoque mentalement la maison, ma famille.

Pierre ne peut avoir fait de plus mauvais choix. Je nourris une relation très particulière avec cette femme, une relation intouchable qu'il ne peut s'approprier. Assise en tailleur devant sa table basse, la bouche pleine de pain d'épices, je suis outrée qu'il puisse ainsi usurper l'harmonie qui règne entre Luz Casal et ma famille. Une fois de plus aujourd'hui – une fois de trop –, ma vie privée a été dangereusement mélangée à ma vie de prostituée. Je sais au fond de moi que Pierre n'y est pour rien et que, ne me connaissant pas, il n'aurait jamais pu deviner. Mais malgré tout, je ne peux m'empêcher de le détester à présent, juste pour m'avoir fait réfléchir.

Mes yeux doivent lancer de véritables sabres noirs dans sa direction, car le businessman me fixe depuis un moment, cherchant à percer mes pensées.

– Je déteste cette chanteuse, est-ce que tu peux arrêter la musique, s'il te plaît ? dis-je sèchement.

Surpris que je sorte si subitement de mon mutisme, Pierre exécute ce qui sonne plus comme un ordre que comme une demande de faveur. Le silence se fait de nouveau.

Laura D.

Certainement pour éviter toute conversation, il s'approche de moi, lentement bien évidemment. Au fur et à mesure qu'il s'avance, je sens son excitation grandir. La pièce pue le sexe à chaque pas qu'il fait vers moi. Je ne bouge pas, je ne peux me décider à le toucher de moi-même.

Je l'observe cheminer vers moi. Une fois arrivé à ma hauteur, son entrejambe se trouve littéralement en face de mes yeux. Il garde cette position plusieurs secondes, elle lui plaît de toute évidence. Il déboutonne son pantalon de costume, le fait glisser le long de ses jambes. Cette situation me donne la nausée. Je sais qu'aujourd'hui j'ai atteint mes limites. Je me fais la promesse intérieure de ne rien lui accorder. Il est trop tard pour lui, je le tiens à présent stupidement responsable de ma tristesse, de ma prostitution. Jusqu'à présent, ce rendez-vous ne s'est pas du tout déroulé comme il aurait fallu. Il a tout faux. Même ses battements de cils m'exaspèrent par leur fainéantise.

Devant mon impassibilité, il me tend finalement la main pour me relever. Debout devant lui, je me rends compte qu'il est grand : je lui arrive au niveau de la bouche.

Pierre ôte ma robe. Je suis à présent en sous-vêtements devant lui, mes jambes glissées dans des bas bon marché. Peu lui importe, il me trouve à son goût, je le sens à sa respiration haletante. Il m'entraîne dans sa chambre et me pousse gentiment sur son lit immense. Il profite de ma position allongée pour se débarrasser de sa chemise. S'inclinant vers moi, il me retourne d'un geste pour me mettre sur le ventre. Je me laisse faire comme une poupée gonflable.

— Je vais te faire un massage, tu aimes ça ?

— Hm… oui oui…

Pierre étend son corps entier sur le mien. Je croule sous son poids. Je me dégage en donnant un coup de postérieur vers le haut, ce qui le fait sursauter. Libérée, je reprends une respiration normale. Il pose alors son corps le long du mien, et commence à me caresser. Il m'a laissé mon soutien-gorge et je soupçonne que c'est parce qu'il ne sait pas comment l'enlever. J'aurais voulu partir en courant. Un dilemme est en train de naître dans mon esprit : peut-être dois-je partir après tout, si je ne le sens pas. Un coup d'œil à son radio réveil m'informe qu'il me reste à peine vingt minutes. L'attrait de l'argent me fait prendre ma décision. Pour ce fric qui m'est, à mon avis, bien mérité, je suis prête à attendre.

Ses mains se baladent sur mon corps à la vitesse attendue, sans surprise, trop lentement pour que je ne voie pas le temps passer. Je suis totalement immobile : si une personne entrait en ce moment, elle pourrait penser que je suis morte.

Pendant dix-huit minutes très exactement, il se frotte contre moi sans jamais tenter autre chose. Ma réticence silencieuse doit se faire trop menaçante pour qu'il ose s'aventurer. Il ne prononce pas un mot, se contente de ce contact. Je ferme les yeux, c'est la meilleure chose à faire. Quand le réveil, de sa lumière rouge, affiche enfin l'heure salvatrice, je bondis hors du lit sans un mot. Pierre se relève docilement, et ne soupire même pas devant la hâte que j'exprime à déguerpir.

Silencieuse, je lui indique par mon regard qu'il doit me suivre vers le salon. Il plonge sa main paternaliste dans son portefeuille, à la manière d'un papa qui daigne bien donner quelques billets à sa fille pour qu'elle sorte s'amuser avec ses amis. Il en retire 150 euros, pour deux heures. Joli butin pour ce qui a été consommé – presque rien. Malgré tout, j'ai la ferme conviction que cet argent a été durement gagné et qu'il m'est parfaitement dû.

Même si j'en suis sûre depuis que je l'ai rencontré sur la place, je sais que je ne reverrai jamais Pierre. Il est à présent trop lié dans mon esprit à une impression de dégoût. Et surtout, à une rencontre importune avec mes parents. Raisonnablement, je sais que ce sort aurait pu tomber sur n'importe qui, mais mes pensées s'entêtent et l'associent, le rendent responsable. C'est à cause de lui que je suis allée sur la place du centre-ville ce matin, à cause de lui que j'ai dû mentir à ma famille (à qui, pour l'instant, je n'ai fait qu'« omettre de raconter »).

Pierre propose de me raccompagner, mais je décline son offre : hors de question de rester une minute de plus en sa compagnie. S'il faut marcher deux jours pour rentrer à V., je le ferai. J'empoche l'argent, le lui arrachant presque des mains, et m'enfuis vers la porte sans demander mon reste. Je laisse Pierre seul dans son château luxueux, je pars sans me retourner, en murmurant un « au revoir » inaudible.

– On se recontacte rapidement, Laura ?

– Hm… Oui.

Je n'en pense pas un mot. Mais je préfère mentir, pour éviter toute explication interminable, et surtout, pour qu'il ne s'énerve pas sur moi. Je sais que mon mensonge est protégé : ce mec n'a que mon mail, rien d'autre.

Une fois en bas de son immeuble, à l'air frais, je m'arrête un instant et lève la tête au ciel. Ça y est, je suis complètement happée. Je vais devoir mentir à mes parents quand ils me demanderont comment s'est passée ma journée, et refuser leur invitation à dîner pour ne pas avoir à affronter le regard de mon père. Le regard de celui qui sait, celui qui se doute peut-être de tout.

Je me sens à présent vraiment prostituée. Une pute, je suis devenue une pute. Car je sais que je recommencerai ; que les Julien, Joe et Pierre n'y changent strictement rien. Je suis devenue une pute qui, dorénavant, compte sur le fric de ses clients pour ne plus se soucier des fins de mois. Je suis la fille de joie qui, pendant quelques heures, sait oublier les mains qui se posent sur son corps. Une débauchée à mi-temps, une catin étudiante, une tapineuse informatique. À l'air libre, je reprends des couleurs. Doucement, le cœur battant la chamade, je m'enfuis vers l'arrêt de bus le plus proche.

Chapitre 14

La nervosité

14 janvier 2007

Marchant dans le froid, mon manteau remonté jusqu'au menton, je cours pour ne pas être en retard à mon premier examen d'université. Je stresse pour aujourd'hui, car je passe une épreuve de littérature. J'ai bien sûr lu tous les livres, mais avec beaucoup de retard : je ne pouvais pas les acheter, vu leur prix rédhibitoire, et il a fallu attendre qu'ils soient disponibles à la bibliothèque de la fac.

Ce ne fut le cas que la semaine dernière, et j'ai dû avaler trois livres coup sur coup. J'avais au préalable appris mes cours stupidement, car sans avoir lu les œuvres, ils me semblaient évidemment dénués de sens. La semaine dernière a donc été pleine d'adrénaline. Je courais entre mon travail, mes études, les transports pour aller à l'université, avec en prime le stress des examens. Mais aujourd'hui pour la première épreuve, j'angoisse. Je cours dans les couloirs de la fac pour rejoindre le bâtiment où l'examen a lieu. À mon arrivée, il y a déjà un petit attroupement devant l'amphithéâtre. Lorsque l'on a couru depuis le saut du lit, une fois que l'on s'arrête de bouger, on prend soudain toute la mesure de sa fatigue. Seule la nervosité me fait tenir debout.

Deux jours auparavant, j'ai vu un client. Cette fois-ci, j'avais décidé de garder une partie de mon butin pour une petite gâterie : j'irais faire un peu de shopping. C'est ça le problème avec l'argent rapide. On en veut toujours plus.

Je suis donc allée voir un mec. Il cherchait seulement quelqu'un pour « accomplir des tâches ménagères en petite tenue ». Avec les examens qui approchaient, j'avais toujours autant besoin d'argent, mais j'étais nerveusement moins prête à supporter que l'on me touche. J'ai donc passé deux heures chez ce mec à repasser ses chemises en sous-vêtements, c'est tout. Il m'a filé 100 euros.

Dans le métro qui me mène à l'université, cette histoire toute fraîche est revenue à mon esprit et je me suis soudain sentie sale comme jamais. Je sais bien que cette période de partiels n'est pas la plus propice pour développer l'amour-propre, mais je n'ai pas pu m'empêcher de me détester, de me dire que je n'y arriverais pas. La prostitution est devenue une drogue dès que le salaire de mon job de télémarketing ne suffit plus. En constatant tout le fric que je pouvais me faire, j'ai même envisagé d'arrêter les appels téléphoniques, et de me « consacrer » uniquement à la prostitution. Finis les horaires contraignants, je n'aurais qu'à travailler quelques heures par mois pour me faire le triple de mon salaire actuel.

Laura D.

Mais ce travail de télémarketing, aussi ennuyeux et mal payé qu'il puisse être, reste avec l'université la seule chose qui me raccroche à la réalité, à la vraie vie. Si je ne gardais que mon métier de prostituée, je me dis que rapidement, je tomberais la tête la première dans un réseau, avec un mac au contrôle. Il me ferait lâcher la fac, et je deviendrais sa poule aux œufs d'or à temps plein.

Devant l'amphithéâtre, la pression monte de plus en plus. Il faut que je me calme si je ne veux pas perdre mes moyens devant la copie d'examen. Je me rassure comme je peux : ma réaction est normale, c'est mon premier examen d'université et mes études me passionnent tellement qu'il me semble que l'enjeu est énorme. La semaine est jalonnée par des partiels, je dois tenir la pression. La seule épreuve que je ne redoute pas est l'oral, parce que j'ai toujours trouvé des facilités pour m'exprimer. Je dois simplement me débarrasser de la littérature ; une fois cette épreuve passée, je serai plus détendue.

Je fouille dans ma poche de manteau pour trouver mon tabac roulé. Je n'ai plus que des miettes. Alors, comme d'habitude, je demande à ma copine de fac si elle peut gentiment me refiler une cigarette. Le luxe, une vraie cigarette avant un examen, ça ne peut qu'être bon signe !

Les portes de l'amphithéâtre s'ouvrent, j'entre, déterminée à montrer ce dont je suis capable.

Chapitre 15

La rencontre

24 janvier 2007

Le bar de Paul est naturellement devenu mon fief. Je l'ai découvert il y a longtemps de cela, bien avant que je ne sois étudiante. Je m'y suis sentie immédiatement bien. La décoration est faite de bois sombre, dans le style colonial. De nombreuses photos d'actrices des années 40 figurent sur les murs, et même si la plupart me sont inconnues, elles sont devenues rapidement familières pour moi. Je n'y retourne pas si souvent cependant, car je veux avoir la même magie dans les yeux à chaque fois. Paul me fait un signe de tête quand j'y repasse de temps à autre et nous échangeons quelques mots. Au début, je m'y réfugiais quand mes rendez-vous « professionnels » étaient finis. Puis je me suis mise à y venir de plus en plus régulièrement : avant ou après le boulot, pour un café ou une discussion impromptue avec des amis retrouvés au hasard.

Son importance dans ma vie n'a pris un tournant radical que le jour où je m'y suis réfugiée après ma première fois avec Joe. Depuis ce jour, ce bar évoque pour moi le soulagement, la douceur après la violence émotionnelle et physique. J'y noie mes pensées noires et ma mélancolie en oubliant toute ma vie. C'est un lieu transitoire entre les hôtels et mon appartement : je m'y suis formé un véritable cocon.

Au fil de mes venues dans le bar, je me suis liée d'amitié avec Paul, le serveur. Sa présence m'est agréable. Je lui parle sans crainte, mais sans jamais entrer dans les détails. D'une part parce que je n'en ai pas envie : je ne suis pas le genre de fille qui raconte sa vie au premier venu. D'autre part parce que Paul est une personne assez superficielle. Il n'aurait porté aucun intérêt à mes histoires, sauf à mes histoires de sexe. Rien ne m'insupporte plus que quelqu'un à qui l'on parle et qui regarde autour de lui, cherchant désespérément quelque chose à quoi raccrocher son regard. Étant donné le peu de confiance que je lui accorde en tant que « gardien solennel de secrets à la vie à la mort », j'ai définitivement rayé de ma tête la possibilité de lui avouer quoi que ce soit sur mes jeux interdits. Révéler un pareil secret reste encore quelque chose d'impensable. Je ne veux pas avoir à me justifier, pas avoir à affronter son regard qui, sans aller jusqu'à me juger, ne pourrait s'empêcher de me plaindre. En y réfléchissant, du reste, je pense qu'il ne m'aurait pas crue.

Paul est un tombeur. Démesurément porté sur son ego, il drague tout ce qui entre dans son bar. Des conquêtes express. Il les saute, puis les laisse tomber quelques jours, voire quelques heures après. Il a d'ailleurs tenté sa chance

Laura D.

avec moi au tout début. Je crois qu'il s'est imposé de séduire toutes les filles mignonnes qui passent le pas de la porte. Il m'a pas mal baratinée, mais je ne suis clairement pas intéressée par lui : dans mon esprit, il est trop lié à ma vie de prostituée. Il l'a senti et m'a rapidement rayée de sa liste de proies. Je ne pense pas qu'il ait vraiment été intéressé par moi. À ses yeux, j'aurais juste été une nouvelle conquête, et il n'était pas disposé, pas plus pour moi que pour une autre, à ramer pour arriver à ses fins. Trimer pour une fille, ce n'est pas son genre. Je me répète également qu'étant si proche géographiquement de mes lieux de rencontre mystérieux, il finira un jour par comprendre, s'il le veut vraiment, ce que je fais et où je vais.

Au plus fort de ma vie de prostituée, cet endroit est devenu ma deuxième maison. J'avoue que la clientèle y est pour beaucoup. Ce sont des trentenaires en majorité : frais businessmen ou artistes déchus, mannequins parfois, ce bar respire la jeunesse. Tout ce petit monde se mélange gaiement dans le bar, ce qui transforme le brouhaha des voix en un tapage harmonieux.

Je me suis toujours sentie plus mûre que les autres filles de mon âge, et au fil des conversations avec de parfaits inconnus – mais de parfaits inconnus de trente ans –, je me suis aperçue que c'est avec cette tranche d'âge que je me sens le mieux. J'ai été forcée de grandir plus vite que les autres lorsque j'étais enfant, et mes parents m'ont toujours élevée en me responsabilisant au maximum. J'ai ainsi difficilement supporté les gamineries du lycée. S'ils m'amusaient à certains moments, les discours de mes camarades filles me faisaient souvent bayer aux corneilles. Les récurrents « Tu sais pas quoi ? Mon mec a la voiture en plus ! » m'horripilaient : mon petit ami de l'époque avait trente ans et la voiture depuis un bon bout de temps. Rien d'exceptionnel donc pour moi. Je ne pouvais me résoudre à participer à leurs projets de soirées pyjamas du week-end ou à leurs premières expériences des drogues dites légères.

En règle générale, je venais au lycée pour prendre mes cours et je m'en allais aussi rapidement. Je me mêlais rarement aux autres élèves. Sans être hautaine, je m'écartais naturellement du groupe. J'appréciais leur présence le temps d'une journée mais ne « creusais » jamais et ne cherchais pas à les revoir en dehors du lycée. Il en était de même pour les mecs. Aussi loin que je puisse me rappeler, les garçons de mon âge m'ont toujours profondément ennuyée, à part Manu, qui est à peu près de la même génération que moi. Lorsque j'ai été en âge de flirter, jamais je ne les ai considérés comme de potentiels petits amis. Je préfère les hommes accomplis, qui ne sont plus en crise post-adolescence ou en quête d'identité.

Parfois, je regrette d'avoir grandi si vite, car au lycée, je me suis sentie seule, incomprise, décalée dans le temps et les expériences. Je pense comme une trentenaire, mes pensées sont plus âgées que moi de dix ans. Au bout du compte, j'aurais aimé être capable de m'amuser comme une fille de mon âge, superficiellement, sans réfléchir en permanence en adulte responsable. Je me sens parfois fatiguée de ma propre nature, mais c'est plus fort que moi : je dois admettre que je ne serai jamais une personne qui s'amuse d'enfantillages, même temporairement. Il y a longtemps que j'ai perdu ma naïveté.

C'est une des raisons qui ont fait que je me suis tout de suite sentie bien dans le bar de Paul. Je viens quasiment tout le temps seule, certaine de finir la soirée à discuter avec de nouvelles têtes.

Ce soir, à mon arrivée, je trouve l'endroit bondé. Un concert de rock a été organisé et une bande de clients éméchés a transformé le bar en une véritable piste de danse. Cette bonne humeur est communicative et je me surprends à sourire dès que je franchis le seuil. Paul m'aperçoit et s'empresse de me servir un verre de vin, pour me « mettre à l'aise » dit-il. Je sais en fait qu'il veut en mettre plein la vue aux mecs accoudés au bar qui m'ont longuement dévisagée tandis que je lui faisais la bise. C'est sa façon à lui de dire : « Hé oui, les gars, je la connais… ».

Cela a fait son effet. Deux hommes ont tout de suite cherché à engager la conversation avec moi.

– Salut, tu viens souvent dans ce bar ? me lance l'un, pas très original.

– Je ne t'y ai jamais vue, et je sais que je n'aurais pas loupé une jolie fille comme toi ! fait l'autre, inspiré.

Quelle créativité ! Leur approche sent la drague de bas étage : je peux sentir à cent mètres l'envie sexuelle d'un homme. J'accorde gentiment des réponses à leurs questions. Je me permets même quelques plates initiatives, par pure politesse. Les deux zigotos se connaissent bien, et, sous mes yeux, la discussion tourne à la compétition. Qui ramènera la jeunette chez lui ce soir ? C'est à celui qui placera la phrase qui fera naître le plus large sourire sur mes lèvres. Je m'efforce de rester cordiale, mais je crève d'envie de les planter là, pour leur faire comprendre une fois pour toutes qu'ils n'ont aucune chance avec moi.

Soudain, je le remarque derrière les deux hommes. Il est en train de me regarder depuis plusieurs minutes. Châtain, quelques mèches de cheveux cachent ses yeux, que je devine verts. Il porte une chemise rayée de coton qu'il a retroussée aux manches. Un ensemble très moyen, mais malgré tout, à partir du moment où je l'ai remarqué, je ne peux détacher mes yeux des siens. C'est un homme captivant. Il me regarde d'un œil compatissant. Ce n'est pas la première fois que je le vois ici. Je l'ai vu discuter plusieurs fois avec Paul autour d'un café. Je souris en me disant que je ne pourrais à mon tour lui placer le fameux « Tu viens souvent ici ? ».

Son regard me fait un signe que je n'ai pas le temps de comprendre. Deux secondes plus tard, il est près de moi et m'attrape par la taille devant les deux compagnons de drague. Inutile de préciser qu'ils se redressent dans une certaine brusquerie, honteux de s'être mépris à ce point. Un silence se fait, ponctué par leurs courts toussotements qui trahissent leur embarras.

– Ah… salut, réussit à bégayer l'un d'entre eux.

Deux civilités plus tard, ils sont déjà loin. Le sauveur tourne mon corps vers le sien, sans lâcher ma taille. La situation est effroyablement érotique, et je sens un frisson me

parcourir, faisant hérisser mes poils de bras. Je ne peux le
quitter des yeux tandis que lui m'observe sans un mot.
Il n'est vraiment pas ce que l'on peut appeler un beau
mec, pourtant il me fascine. J'aurais pu rester une heure
comme cela, mais au bout d'une bonne minute, je décide
de briser le silence :

– Merci, ils commençaient à devenir plutôt agaçants.

– Oui, c'est ce que j'ai cru comprendre.

Du doigt, il indique une table qui vient de se libérer.
Il nous commande deux verres de bière, et comme ça, de
manière naturelle, nous passons la soirée ensemble, à rire
beaucoup et à discuter de nos petites existences. Il
s'appelle Olivier. Il ne fait pas grand-chose dans la vie et
semble même s'y emmerder. Il a l'apparence et le train de
vie d'un bohémien. Ce gars-là semble résigné, faute de
machine à remonter le temps, à l'idée de ne pouvoir
retourner dans les années 70. Il s'est trompé d'époque
quand il est né.

La nuit est légère, je me sens parfaitement bien. Je ne
sais pas pourquoi les choses me semblent si faciles ce soir.
Je ne m'explique pas non plus comment parfois on se sent
tellement à l'aise avec un parfait étranger… au point de
lui raconter des choses très intimes. Je lui parle de
ma famille, de mes études et de Manu. Il m'écoute
attentivement, et me livre les moments et expériences
qui l'ont marqué dans son enfance ou récemment. C'est
un échange sain et équitable où chacun donne de sa
personne. Tout se fait dans le sourire, même les
souffrances sont évoquées comme des étapes constructives.

Les verres s'enchaînent au fur et à mesure que la nuit avance. Nous commençons à être de plus en plus soûls, ce qui nous plonge dans la logique de l'ivresse qui veut que l'on dévoile allègrement et sans complexes sa vie. J'ai l'impression étrange de pouvoir tout lui dire, même et surtout ce que je cache à tout le monde. À plusieurs reprises, je me surprends à me demander comment il réagirait si je lui avouais ma vie de débauchée. C'est lui qui ouvre le bal des confessions illimitées.

– Tu vois, après trente années, j'ai l'impression qu'aujourd'hui, rien ne peut me choquer. C'est triste, non ?

La perche est trop grande et mon secret trop lourd à porter pour moi toute seule.

– Rien ne peut te choquer ? Vraiment ?

– Vraiment.

– Je suis sûre que je peux te choquer.

L'alcool aidant, je deviens de plus en plus aventurière. J'ai conscience de jouer avec le feu, mais un instinct étrange me pousse à lui faire confiance. Il reste silencieux pendant un instant, comme à la recherche d'une réplique. Il comprend qu'il s'agit de quelque chose que j'hésite encore à confesser. Il me dit alors :

– Si tu en es sûre, je t'écoute.

Il sent mon indécision. Lui révéler ma vie cachée signifie lui faire entièrement confiance et compter sur sa loyauté pour garder le secret. Mais je ne le connais pas ! Comment et pourquoi lui faire confiance ? En le regardant profondément, je devine qu'il ne dira rien. Néanmoins, une lueur de lucidité me bloque toujours.

Laura D.

– Ne t'inquiète pas. Cela restera entre toi et moi, je peux te le jurer.

Je me jette alors à l'eau. Je tourne et retourne les mots dans ma tête pour qu'ils prennent une forme verbale convenable, car ils n'ont jamais été prononcés à voix haute.

– Tu sais où j'étais la semaine dernière ?

Il fait non de la tête. Il ne peut évidemment pas savoir.

– J'étais avec un homme de cinquante ans qui m'a payée pour me toucher. Je suis une prostituée.

J'ai craché le tout sans réfléchir. Au moment où c'est déjà fait, j'ai un geste de recul, comme si je venais d'entendre quelqu'un d'autre parler.

Pendant une seconde, ses yeux se font plus perçants, le haut de son visage se fronce mais, se souvenant de sa promesse, il s'empresse de prendre une expression qui se voudrait neutre.

– Je vois, dit-il simplement.

Il ne pose aucune main sur mon épaule, n'a aucun geste de compassion qui m'aurait exaspérée. Au contraire, il cherche juste à comprendre, et me pose beaucoup de questions. Le reste de la nuit se déroule comme le début : ma révélation n'a en rien gâché la soirée, au contraire, elle nous a rapprochés.

Paul nous sort de notre rêverie qui a presque duré six heures. Six heures d'affilée où rien n'a existé autour de nous. Je n'ai absolument pas vu le temps passer et je crois à une blague lorsque je vois Paul arriver, une serpillière à la main, prêt à nettoyer avant la fermeture.

– Va falloir décoller, on ferme !

Nous partons dans un franc éclat de rire, réalisant tous les deux que nous avons perdu la notion du temps. Il se lève et me tend sa main pour m'entraîner dehors. Ivre et hilare, je salue Paul d'un geste évasif de la main. Dehors, Olivier me raccompagne jusqu'à chez moi, me soutenant par la taille tant ma démarche zigzague. Du début à la fin du trajet, nous avons un fou rire inexplicable provoqué par l'excès d'alcool. Une fois devant ma porte, il s'assure que j'ai bien mes clés et que j'arrive à ouvrir la porte correctement. Puis, dans un geste lent, il m'embrasse sur la joue.

Je le regarde en souriant et je monte chez moi pour m'endormir seule, mais heureuse.

Chapitre 16

L'escalade

4 février 2007

Mon anniversaire approche à grands pas. Je vais avoir 19 ans. « Un bien bel âge » aux yeux de tous. Moi, je reste indifférente au nombre que le compteur indique.

19 ans. Deux histoires d'amour – dont une en cours –, un bac littéraire en poche, une année universitaire qui évolue mieux que prévu, et une vie cachée de prostituée. Pas mal à seulement 19 ans. À peine 19 années d'écoulées. Il me semble pourtant en avoir dix de plus.

J'ai presque 19 ans et toujours un immense besoin d'argent. Les bilans ne sont pas bons, loin de là. Mon minuscule forfait de portable m'a été confisqué par mon opérateur téléphonique. J'ai des priorités financières, comme mon loyer, que je peine déjà à payer. La majeure partie du temps, je fraude le métro pour aller à l'université, incapable de m'offrir la luxueuse carte de transport.

J'essaie de voir le bon côté des choses. Mes études me passionnent : je suis entrée depuis maintenant quatre mois dans le vaste cercle des étudiants avec un vrai plaisir. Même fatiguée, je vais en cours heureuse, consciente de la chance qui m'est offerte d'étudier (presque) gratuitement. Ma soif d'apprendre ne tarit pas et je suis certaine d'avoir trouvé ma voie avec l'étude des langues vivantes. Mes professeurs m'encouragent et l'un d'entre eux m'a même confié récemment qu'il voyait en moi une future agrégée en langues.

De plus, j'ai eu les résultats de mes partiels de janvier. Je les ai validés avec une moyenne de 15 ! Je n'en revenais pas quand j'ai reçu mon relevé de notes par courrier. Comme quoi, il y a une certaine justice. Je n'ai pas travaillé pour rien.

Mon petit budget m'empêche bien évidemment de m'acheter tous les livres dont j'ai besoin. La bibliothèque est devenue l'un de mes endroits favoris, où j'aime flâner et tuer le temps autour de précieux ouvrages. Mais elle n'est pas bien grande, et elle a souvent été dévalisée avant mon arrivée, du moins pour ce qui est des bouquins au programme. Ces petites incommodités à répétition ne me font toutefois pas perdre mon aplomb naturel, elles ralentissent tout juste mon apprentissage. J'envie les jeunes étudiantes qui vont directement à la librairie du coin commander les livres en langue originale tout en tendant leur carte de crédit avec un sourire serein.

Je crève aussi d'envie de posséder un ordinateur portable, car il devient tout bonnement indispensable. Cette idée est née d'abord dans l'entreprise de télémarketing. L'un des employés nous a prévenus qu'un tirage au sort allait être effectué et qu'il y avait un ordinateur portable à gagner à la clé. Je laisse imaginer ma réaction à cette annonce. Je squatte les pages de vente de matériel informatique sur Internet dès que j'en ai l'opportunité et je salive devant les merveilles technologiques. J'ai théoriquement choisi celui que je préfère, sachant très bien que mes parents ne pourront jamais me l'offrir, même pour mon anniversaire.

Je me sens désarmée devant mon quotidien. Il y a un peu plus d'un mois, je rencontrais Joe pour la première fois. En un mois, j'ai enchaîné trois clients importants, qui m'ont permis temporairement de sortir du rouge, en m'apportant plus de 600 euros. J'ai pu régler mes plus gros problèmes financiers grâce à eux, ceux qui traînaient depuis longtemps, mais il me reste toujours les loyers, les factures, etc. Je n'en vois pas le bout. Trop de choses à penser, à régler. Je me sens dépassée par les événements.

Je reprends mes annonces sur le Net.

Je contacte d'abord un photographe amateur. Le type me fait porter des tenues improbables : même dans mes fantasmes les plus osés je n'aurais pu imaginer de pareils accoutrements ! Au fil de la séance, le mec me semble de plus en plus louche. Il devient exigeant, presque violent dans ses propos si je ne fais pas ce qu'il veut.

– Mais enfin, Laura, ne te tiens pas comme ça ! Tu crois que tu donnes envie à quelqu'un avec cette position ? Sois moins godiche ! Sois plus sexe, oui comme ça, avec la bouche ouverte, très bien !

J'écourte la séance fissa. En empochant l'argent, je me rends compte que la somme n'atteint pas ce que je peux me faire en couchant avec un inconnu. Et puis, je ne suis pas du tout à l'aise avec le concept : les photos laissent des traces. Je ne suis pas prête à prendre de tels risques. Je tiens à rester la plus discrète possible. Le mec me rappelle plusieurs fois, me proposant même des plans à trois avec une autre fille.

– Tu verras, c'est une étudiante comme toi, ça va vraiment super bien coller entre vous deux, j'en suis sûr !

La simple idée de me retrouver avec une autre pauvre fille dans la même merde que moi me glace le sang. Il sent ma réticence et donc augmente ses tarifs, de plus en plus alléchants, atteignant des montants incroyables pour une jeune fille comme moi. Cependant, j'ai la certitude que si j'accepte, je tomberai dans les griffes de ce type. Il présente toutes les caractéristiques du mac parfait : cajoleur et protecteur, violent la seconde d'après. Il semble faire partie d'un réseau très étendu sur V. Si je le laisse m'approcher, je ne sortirai jamais de la prostitution. Je ne vois pas mon avenir là-dedans, comme aucune prostituée d'ailleurs.

Le fait d'être si proche du tourbillon de ces réseaux me fait frissonner : je me sens à la fois frêle et impuissante face à ces manipulateurs ; mais également forte d'arriver à garder la tête sur les épaules. Jusqu'à présent, j'ai réussi à percevoir le danger à temps, et à ne pas accepter n'importe quoi. J'ai su éviter les macs, mais combien de temps vais-je tenir ? Une fois devenue prostituée, vous êtes, quoi qu'il arrive, dans un milieu où les gens vous connaissent et vous reconnaissent. Je n'ai pas un rond, il me semble que plus je m'enfonce dans cette vie cachée, plus mes fins de mois deviennent difficiles. À chaque problème financier, je suis tentée de me tourner vers la prostitution. Le cercle vicieux est là, me narguant et m'entraînant dans son vortex : plus je gagne d'argent, plus j'en dépense et plus j'en veux.

J'ai conscience d'avoir eu de la « chance » jusqu'à maintenant. Personne ne m'a forcée, je ne suis pas tombée sur des fous furieux. Je tremble parfois en réalisant cela : peut-être que j'attends qu'il m'arrive quelque chose de bien plus choquant pour mettre un terme à cette double vie. Et si cet élément déclencheur ne survient pas ? Si les limites sont repoussées petit à petit, si progressivement que je ne sente pas venir le danger ? Ferai-je partie un jour de ce que l'on appelle les « professionnelles » ? Aurai-je la force de m'en sortir ?

Je ne m'autorise à penser à cela que très rarement. Non par déni : je suis pleinement consciente du fait que je joue avec le feu. Je cherche seulement à me protéger. Je n'ai à l'heure actuelle pas trouvé d'autres solutions pour avoir de l'argent rapidement, alors autant essayer de ne pas trop m'appesantir sur ce qui m'arrive.

Tous ces bilans néfastes entretiennent ma schizophrénie. Je me sens me dédoubler au fil de mes pensées. Ni tout noir, ni tout blanc ; ni totalement prostituée, ni complètement étudiante, ma vie se contredit en tous points. Le reste du temps, je crois fermement en l'avenir.

Je me vois avec une petite famille dans une belle maison, un travail que j'adore, loin de toute cette merde. Je sais que j'ai les ressources pour remonter la pente. Je m'en sortirai, c'est évident. Plus tard, je garderai en moi ce sentiment secret de réussite, de victoire. Là où peu de filles ont réussi, je ferai office d'exemple.

Plus tard, c'est décidé, je serai quelqu'un de bien. À ce moment de ma vie, je ne peux pas me le permettre.

Je me suis mise à envisager de plus en plus sérieusement la solution Joe. Depuis notre première rencontre, il ne m'a pas lâchée. Je reçois quotidiennement des mails de lui que je supprime machinalement sans même les lire. Nouvelle dans la profession, je n'arrive pas à concevoir l'idée de revoir les mêmes clients. Je m'aperçois rapidement que c'est justement sur ceux-là qu'il faut compter, car ils représentent une véritable roue de secours dans les moments les plus précaires de nos vies à nous, les prostituées.

Je crois que j'espère stupidement un scénario à la *Pretty Woman*, où un sosie de Richard Gere viendrait me sortir de tout cet enfer. Je me répète intérieurement que cela n'arrivera pas si je revois les mêmes clients tout le temps. Alors je cherche ailleurs la perle rare, évitant Joe comme la peste. Ça me fait sourire que même pour un client, je rêve d'une sorte de prince charmant.

Mais Richard Gere se fait attendre, et quand je reçois une nouvelle lettre de ma propriétaire exigeant le loyer dans la semaine, je me dis que des clients, je peux en trouver partout et sans problème. Des clients que je sais fiables, c'est moins évident. Les annonces laissent souvent transpirer une perversité sans limite qui m'empêche de prendre contact avec eux. Joe, c'est différent. Ma dernière impression de lui est que je l'ai pigeonné. Il m'a allègrement payé pour quasiment rien : juste des frottements de mains sur mon corps. Ses fantasmes me paraissent à présent tout à fait gérables. J'oublie les sensations détestables qui ont accompagné cette rencontre, toute la gêne et le sentiment de dégoût que j'ai pu éprouver. Je ne le perçois pas encore, mais c'est exactement là que le danger se trouve : ne se rappeler que l'enveloppe remplie d'argent.

La lettre de ma propriétaire a été suivie le lendemain par ma fiche de paie. Je grimace en découvrant le montant total de mon salaire : des radis, voilà ce que je me fais avec ce job de téléopératrice.

Je contacte Joe le soir même, à partir d'un cybercafé, me contentant dans un premier temps de lui demander de simples nouvelles. Ce mec doit vivre devant son PC, car il me répond dans la seconde.

Dès le deuxième mail, je lui dis que je suis d'accord pour le voir prochainement, que le plus tôt sera le mieux, car j'ai besoin d'argent très rapidement. De toute évidence, il se dépêche d'accepter, pressé par son envie. Mais par politesse et courtoisie, il demande quand même de mes nouvelles. Je lui glisse dans ma réponse que mon anniversaire approche et que peut-être nous pourrions nous retrouver ce jour-là. Sans aucune hésitation, j'inclus la page Internet de l'ordinateur de mes rêves en fichier joint.

Je conçois que ma démarche soit choquante aux yeux de beaucoup. Je me dis que puisque ces pervers veulent mon cul, ils vont payer cher pour l'avoir. Je ne peux cependant me résoudre au rang de « prostituée » : pour moi, je vaux mieux que cela. Et l'argent est le seul moyen que je trouve pour me le prouver. Mes 19 ans approchent, et cette année plus que les autres, j'ai besoin de soutien, de réconfort. Je pense stupidement pouvoir le trouver dans un ordinateur offert par un client. Qu'est-ce que je peux être conne !

Le mail qu'il m'envoie après n'est pas aussi rapide. Je suis consciente de l'avoir quelque peu déstabilisé. Mais comment peut-il croire une seconde que je le recontacte parce que je l'apprécie ? Seul son fric m'intéresse dans cette histoire. Il me répond tout de même, en me demandant pourquoi j'ai besoin d'un ordinateur. Je lui explique qu'un ordinateur simplifierait grandement mon quotidien d'étudiante. J'en rajoute beaucoup dans le genre mielleux, car je sais que j'ai affaire à un papa protecteur et qu'il peut facilement se laisser attendrir. Je reçois sa réponse quelques minutes plus tard :

Laura,
Apparemment, les temps sont durs pour toi actuellement. Je comprends complètement qu'un ordinateur devienne indispensable pour toi. Quel modèle t'intéresse ? As-tu une préférence particulière ?…

Laura D.

Je sais à cet instant précis que l'affaire est dans le sac. Je ne me sens même pas honteuse. Je crois qu'à ce moment, je suis prête à accepter n'importe quoi venant de lui, persuadée que notre future rencontre sera ma dernière expérience de prostituée.

Il prend les devants en fixant un rendez-vous dans un délai de trois jours. Le jour même de mon anniversaire.

Chapitre 17

La chute

7 février 2007

À 13 heures, je l'attends devant le même hôtel que la première fois. Nous allons passer deux heures ensemble, car je dois partir travailler ensuite. L'épisode de Pierre est bien présent en moi, et mes yeux remuent frénétiquement dans toutes les directions. J'essaie d'observer tous les gens qui passent sans me faire repérer, espérant que Joe arrive rapidement. Ironiquement, je ne me sens à l'aise que lorsque je suis seule avec lui dans la chambre. Je sais qu'aucun passant n'est dupe en nous voyant ensemble dans la rue.

Je me rappelle avoir discuté un jour avec une prostituée, sans lui révéler ma « profession de l'ombre ». Elle m'a raconté que sur le trottoir, elle garde contact par téléphone toutes les demi-heures avec ses « collègues ». Dès que l'une d'entre elles monte dans une voiture, elle prévient ses consœurs pour qu'elles interviennent si elles ne la voient pas revenir. Les étudiantes, qui opèrent majoritairement via le Net, sont en définitive bien plus exposées au danger, seules dans une chambre, que sur le trottoir.

Je le vois de loin, toujours armé de sa mallette de magicien. Nous nous faisons la bise, et il me dit :

— Monte dans la chambre avant moi.

— Pourquoi ?

— Depuis la dernière fois avec les flics, je préfère qu'on essaie d'être plus discrets. On ne sait jamais. Demande les clés à l'accueil. Je ne connaissais pas ton nom de famille, alors j'ai donné le mien.

Bien sûr qu'il ne connaît pas mon nom ! Il est d'ailleurs hors de question qu'il le connaisse un jour.

— Ensuite, monte t'installer, je t'y rejoindrai dans un moment.

Par *s'installer*, il entend : mettre les habits sexy qu'il m'a demandé d'amener avec moi. J'acquiesce de la tête et me dirige vers la réception. Une jeune femme s'y trouve. Elle lève la tête à ma vue, un sourire professionnel aux lèvres.

Arrivée devant la chambre, je tends l'oreille pour voir si j'entends un bruit à l'intérieur. Je suis persuadée d'entendre des gémissements, je deviens méfiante à présent. Quelqu'un m'attend peut-être, et ce quelqu'un veut me faire du mal. Je colle littéralement mon oreille au bois blanc de la porte. Rien, je conclus rapidement que mon imagination sans limite me joue des tours, et qu'il faut que j'arrête d'être paranoïaque. Je tourne la clé dans la serrure.

Laura D.

Quand j'ouvre la porte, ce sont les rideaux verts qui m'accueillent d'abord. Tout comme la première fois, ils me frappent par leur laideur. La chambre est certes plus petite, mais la décoration identique : mes repères restent donc à peu près les mêmes. Pour l'instant, les choses n'ont pas vraiment bougé. Étrangement, cela me rassure.

Je découvre un ordinateur portable posé sur une petite table en face du lit. Un film pornographique s'affiche en plein écran : je suis soulagée de savoir que je n'ai pas rêvé : les gémissements viennent de là. Un mot se trouve sur le lit. Là encore, Joe n'a pas changé. Laisser des lettres à ses coûteuses amantes est indéniablement un de ses fantasmes.

Laura,
Je suis très content de te revoir aujourd'hui. Je souhaite que tu commences par prendre une douche. Ensuite, je viendrai frapper trois fois à la porte. Je veux que tu me dises :
« Entrez, maître. »
Après, tu t'allongeras sur le lit. Je veux que tu me dises :
« Bonjour, maître, tout ce que tu vois est à toi. »

Quel ridicule ! Il redouble de fantasmes dominateurs. Je commence à prendre peur, le ton de la séance s'éloigne de la dernière fois, où le Joe avait pris beaucoup de pincettes.

À aucun moment sur sa lettre il ne mentionne l'ordinateur. « *Juste cette fois-ci, Laura, ce sera la dernière* », me dis-je.

173

Je m'approche de l'appareil lentement, pour l'observer. Je commence à me demander s'il est pour moi ou si Joe veut simplement me narguer. Je le sens capable de tout. Je caresse les touches lentement, pleine d'envie mais en me demandant tout de même si je suis prête à vraiment tout accepter pour le posséder. Et si cet ordinateur n'était pas pour moi ? Et s'il décidait de ne pas me le donner à la fin ? Mon esprit n'est plus orienté que vers cette possession-là, mon désir s'est mué en un besoin incommensurable. Je veux cet ordinateur à tout prix.

Je décide de me doucher pour me remettre les idées en place. Une bonne surprise m'attend dans la salle de bains : il n'y a pas de miroir. Je crois que je n'aurais pas été capable d'affronter mon image aujourd'hui ; le jour de mes 19 ans, où je m'apprête à vendre mon corps pour pouvoir m'offrir un ordinateur. Je me douche prestement. Je suis encore en train de me sécher quand j'entends Joe cogner à la porte. Je me place au milieu de la pièce, nue, et lui dis :

– Entrez, maître.

Je n'ai pas pu m'empêcher de rire en m'entendant prononcer cette phrase. Je l'imagine sourire de plaisir derrière la porte. Au lieu de cela, il entre, me fixe pendant quelques secondes et me dit sèchement :

– On ne rigole pas.

Il doit sûrement considérer que, vu son cadeau onéreux, il peut se permettre de devenir plus exigeant avec moi. « *OK, cocotte, ne fais pas trop ta maligne aujourd'hui... Joue le jeu, y a un ordinateur à la clé...* », me dis-je intérieurement. L'appareil m'obsède réellement. Joe m'interrompt dans mes rêveries :

– Allonge-toi en travers du lit sur le ventre, dans le sens de la largeur.

Je m'exécute à présent sans broncher, sans même oser ouvrir la bouche pour parler. Dans cette position, Joe voit parfaitement mon corps, et surtout mes fesses que je déteste. Nous sommes en pleine après-midi et la lumière transperce les rideaux verts, ce qui en soi n'est pas spécialement étonnant compte tenu de leur qualité. Je ne suis vraiment pas à l'aise.

Mon corps est plus grand que la largeur du lit, ma tête et mes pieds dépassent donc aux extrémités. Joe s'en aperçoit et me dit :

– Laisse tomber ta tête dans le vide et passe tes mains sous le lit.

Je le fais sans vraiment comprendre où il veut en venir, espérant juste qu'il ne va pas me demander ensuite de mettre ma jambe gauche sur la tête et de faire le poirier. Je sens un bout de carton froid sous le lit. Je tire la boîte vers moi pour la sortir de sa cachette et pouvoir la regarder.

Un ordinateur portable. Mon ordinateur portable. Je ne peux m'empêcher de sourire à la vue de cet objet. Je deviens soudain démoniaque dans ma tête : maintenant que j'ai mon cadeau, pourquoi coucher avec lui ? Mais comment puis-je imaginer une seconde que Joe me laissera partir comme ça ?

Joe n'est pas aussi stupide. Il a dû voir l'étincelle de malice dans mon œil, car il me dit soudain :

— Bien entendu, tu l'ouvriras après.

Je vais donc y passer, aucun moyen d'y échapper. Je viens de comprendre qu'il va aussi me payer pour aujourd'hui. Je souris de ma future richesse. Je suis aussi véritablement émue : cet ordinateur est le plus coûteux cadeau que l'on m'ait jamais fait. On ne m'a pas beaucoup donné, dans la vie, sans attendre de retour. Joe me donne évidemment sur le plan financier, mais aujourd'hui, il m'a laissé entrapercevoir un autre trait de sa personnalité, qui m'était inconnu jusqu'à présent : son côté humain, généreux. C'est du moins ce que je me dis.

Le cercle vicieux est établi : il me manipule, mais je ne m'en rends pas compte. Joe sait ce qu'il fait. Il a envie de moi et sait qu'il faut m'appâter avec de l'argent. Les limites entre nous ont été une nouvelle fois repoussées. Joe tire les rênes.

Il me demande de m'asseoir sur le lit ; à ses côtés. Il augmente le son du film qu'il a juste mis en pause sur l'ordinateur. C'est un film sadomasochiste amateur qui montre une femme nue, d'une quarantaine d'années, plutôt ronde, à qui on brûle le corps à l'aide d'une bougie. Elle est attachée à la chaise sur laquelle elle est assise, la cire coule sur ses seins et elle hurle à la mort. Plus elle hurle, plus l'affreux responsable de sa douleur prend du plaisir. Elle aussi semble prendre du plaisir au final. Les images passent devant mes yeux sans s'incruster sur ma rétine, j'ai en fait beaucoup de mal à regarder ces scènes.

Il m'est arrivé très régulièrement de regarder des films pornographiques. Par curiosité, pour augmenter

176

l'excitation, j'en visionne parfois avec mes amies ou mon petit ami, comme tout le monde. Le sadomasochisme, c'est totalement différent. Je pense que je ne saisirai jamais ce que des films de cette catégorie ont d'attrayant. Au bout de deux minutes, je trouve déjà la scène intenable et je suis obligée de détourner les yeux. Je me suis transformée en un glaçon en regardant ces images. Joe, lui, prend un plaisir dingue.

— Franchement, Joe, je ne peux pas regarder, c'est pas du tout mon truc.

— Le problème, c'est que moi c'est le mien, alors je ne te demande pas de regarder.

Le ton est radicalement différent de la dernière fois. Il me méprise totalement : je suis descendue au rang de pute de bas étage qui est là seulement pour offrir son cul et se la fermer.

— Ce que je te propose, c'est de t'attacher les mains au lit.

Je fais immédiatement le lien avec la vidéo. Veut-il me brûler le corps moi aussi ? Et moi qui croyais être plus en sécurité avec lui dans la chambre d'hôtel !… Joe se radoucit un peu.

— Ne t'inquiète pas, Laura.

Doucement, il s'approche de moi. Il incline lentement mon corps dans une position allongée puis me redresse sur le côté. Il joint ensuite mes poignets dans mon dos et les attache à l'aide de mon pull qui traîne sur le lit. Le nœud n'est pas vraiment serré, ce qui me rassure quand même un peu, je peux me libérer si je le désire.

Mes chères études

Joe ne semble pas disposé à me laisser cette éventualité. Il s'empare d'une ficelle sortie de nulle part et lie mes chevilles, toujours dans mon dos. Puis, par mesure de sûreté, lie pieds et poignets ensemble. Je dois être comparable à un morceau de viande froide chez les bouchers. Pourquoi est-ce que je me laisse faire ?

Il sort alors un gode de sa mallette. Ce n'est pas la première fois que j'en vois en vrai, mais celui-ci me paraît plus gros. À la vue de l'objet, je frémis et lâche un gémissement de peur. Joe n'a pas de réaction. Il s'en fout pas mal maintenant que je suis attachée.

Captive. Je suis à sa putain de merci maintenant.

Il s'avance vers moi et me met un mouchoir en papier dans la bouche, qu'il agrémente d'un bandeau autour de ma tête pour parachever le tout. Il m'a rendue immobile et muette en deux minutes sans que j'aie pu réagir. Je me sens impuissante et me répète intérieurement avec angoisse : « *Même si j'ai mal, je ne pourrai pas crier.* »

À l'aide de lubrifiant et de son objet surnaturel, Joe réussit à m'exciter physiquement. Puis vient l'horreur et la souffrance. Le premier coup est d'une douleur innommable.

Je pousse un cri qui demeure étouffé dans le mouchoir en papier. Il ne s'arrête pas, bien au contraire. Je hurle des « Arrête » inaudibles, les larmes coulent sur mon visage tellement la douleur est insupportable. Dans la mesure du possible, je claque mes cuisses l'une contre l'autre pour lui faire comprendre qu'il faut qu'il stoppe. Je gigote de plus belle, tant et si bien qu'il est devenu impossible pour lui

178

de me tenir et d'insérer quoi que ce soit en moi. De plus, mes meuglements doivent commencer à s'entendre de l'extérieur. Pris de panique face à cette transe, il dénoue enfin le bandeau et les liens, m'offrant une nouvelle liberté. Dès que le dernier nœud est défait, je bondis sur mes pieds. Je me retourne lentement, les cheveux totalement décoiffés, la respiration encore haletante. Je dois avoir l'air d'une furie. Je le regarde droit dans les yeux à présent. J'ai des envies de meurtre.

Lui me regarde d'un air juste penaud, se rendant bien compte de mon état psychologique. Mais une fois de plus, la situation lui plaît. À la vue de mes yeux rougis injectés de sang, il fait l'innocent :

– Ben alors ? Je croyais que t'aimais ça, la soumission…

Même lui n'y croit plus. Je ne réponds pas mais me jette sur mes vêtements et commence à me rhabiller à la vitesse grand V. Qui sait ce dont il est encore capable !… J'en ai assez vu pour aujourd'hui. Pour toujours d'ailleurs.

– Tu t'en vas ? Nous avions convenu de deux heures. Il te reste encore une heure à passer avec moi.

De peur qu'il ne devienne violent, je décide d'inventer une excuse. Il ne la croira probablement pas, mais peu importe, je dois m'en aller. Les mains tremblantes, je trouve la force de bredouiller à une vitesse vertigineuse :

– C'est mon anniversaire aujourd'hui, je ne vais pas travailler finalement. Mes amies m'attendent dans un café pour qu'on fête ça autour d'un verre. Je suis en pleins partiels en plus, donc je ne pourrai pas rester longtemps avec elles, je dois rentrer après pour réviser.

Je lui sors le plus d'excuses possible, en me disant que sur ce lot de mensonges, il s'en trouvera bien un qui passe. Je sens mon corps et ma tête au bord de la crise d'angoisse, il faut que je dégage rapidement avant de devenir folle ici, dans cette saleté de chambre d'hôtel. Argent ou pas argent, je sortirai de cet endroit.

Joe utilise alors les derniers arguments susceptibles de m'amadouer pour que je reste encore un peu. Il joue la carte des excuses.

– Il ne faut pas le prendre comme ça, Laura, c'était juste un petit fantasme.

– Un petit fantasme ? Eh bien, ce n'est absolument pas le mien…

Je m'arrête là, ne voyant plus l'intérêt de lui parler. Je suis à présent totalement rhabillée et j'enfile mon manteau quand Joe me dit :

– Tu ne prends pas de douche ?

Ma réponse fuse sèchement :

– Non, je pars.

J'ai brisé plusieurs de ses commandements à la fois, et déstabilisé, il ne sait comment réagir. Je n'ai aucune envie de lui laisser le temps de réfléchir à la question, j'ai déjà ma main sur la poignée de la porte. Je reviens sur mes pas une seconde, consciente d'avoir oublié quelque chose. Sans un regard pour lui, je m'empare de l'ordinateur portable que je place sous mon bras, et je sors, aussi vite que possible.

Dans le couloir, Joe me rattrape.

– Tiens, Laura, tu as aussi oublié ça.

Il me tend une enveloppe. La même que la dernière fois. Je l'ouvre... pour découvrir 400 euros à l'intérieur. Il approche sa main de ma tête tandis que je relève mon visage vers lui. Mes traits sont plus crispés que jamais. Il me caresse les cheveux en disant :

– C'était bien, j'ai aimé.

Il me dit cela sur le ton « bonne petite », ce qui me donne de nouveau la nausée. Je lui arrache quasiment l'enveloppe des mains et m'enfuis sans me retourner.

Je cours à en perdre haleine hors de l'hôtel. Des larmes coulent sur mes joues mais se transforment presque en glace à cause du froid de l'hiver. Je ne peux pas me retrouver seule. Je vais droit vers mon bar fétiche, celui qui m'a déjà accueillie quand, après la première fois, je n'avais pas eu envie de rentrer chez moi.

Paul est là, derrière le comptoir, à essuyer son centième verre de la journée. Il me voit entrer en catastrophe, les joues rosies par le froid, les yeux brillants. Je n'ai pas l'intention de lui confier mes malheurs ; personne ne doit jamais rien savoir. Mon apparence n'est pas normale, il ne croirait pas si je lui disais que tout va bien. Mon visage reflète un extrême affolement : la seule façon de m'en sortir est de prétendre que ce trouble est agréable.

– Laura ? Tout va bien ? me demande-t-il tandis que je m'assois à une chaise haute du bar.

– Oui, très bien. Il vient de m'arriver quelque chose de fou !

Sur ce point, je ne le trompe pas. « *Vite, invente quelque chose* ».

— Je viens de gagner cet ordinateur portable au boulot ! C'est génial, non ?

Ah, la belle excuse ! Je m'en sors bien. Je lui expose l'objet durement gagné. Intérieurement, je me décerne le fanion de la meilleure menteuse de l'année. Paul me félicite, visiblement ravi pour moi. Je lui commande un café, et sans avoir à les demander, il me conte les derniers potins du quartier. Parfait, parler ou penser aurait été un terrible effort pour moi en ce moment.

Au bout de quelques minutes, je le coupe :

— Paul, dis-moi, ça t'embête si je prends une douche ?

— Non, pas du tout, fais comme chez toi.

Je n'aurais pu rester une minute de plus avec l'odeur de Joe sur ma peau, et puisque la possibilité de me laver m'est offerte, je saute sur l'occasion. Je me dirige vers l'arrière-salle pour atteindre l'étage où se trouve la salle de bains, l'ordinateur toujours sous mon bras. La crasse et la honte sont incrustées dans mon corps, il va falloir beaucoup frotter pour tout enlever.

Je laisse l'eau couler longuement sur mon corps, et utilise la moitié du gel douche. Quand je sors, je me sens toujours aussi sale. Soudain, tout change. Je vois l'ordinateur posé dans un coin de la pièce et il se passe quelque chose de fou, que je n'aurais pu envisager une seconde plus tôt : je souris. Je suis tout simplement heureuse de savoir qu'il est à présent à moi. La joie prend le dessus et les craintes que j'ai pu avoir en sortant de l'hôtel s'envolent délicatement. Je me sens légère et prête de nouveau à affronter la vie. De plus, c'est mon anniversaire, et je ne veux pas gâcher cette journée par des pensées noires, j'ai tout le temps de me morfondre plus tard. Je n'aurais jamais cru que je sourirais cet après-midi.

Je rassemble mes affaires, salue Paul une dernière fois et quitte ce bar, l'esprit apparemment tranquille. Je prends la direction du travail. Je ne me trouve même pas méprisable d'être contente à cause de cet objet.

Joyeux anniversaire, Laura.

Chapitre 18

L'amour

Mars 2007

Sans que rien ne se soit concrétisé entre nous, Olivier et moi avons continué de nous voir parallèlement à mes activités extra-universitaires interdites. Nous sommes portés par notre relation platonique. Ce n'est en tout cas pas une relation de couple officialisé. J'essaie de me convaincre, pour calmer mon impatience, que je préfère cette situation. Nous avons tous les deux peur de ce qui pourrait advenir si nous tentons un baiser. Plusieurs fois par semaine, nous nous retrouvons après mon travail et très souvent dans le bar de Paul, lieu de notre rencontre.

Je ne sais comment il gagne sa vie puisqu'il semble toujours disponible pour des rendez-vous et en propose très régulièrement de son côté. Je me dis qu'il doit toucher le chômage. Une comparaison avec mon ex-compagnon Manu est inévitable. De quelqu'un de radin, je passe à quelqu'un qui n'a certes pas beaucoup de moyens mais qui, dès qu'il le peut, m'emmène dîner. Sans même avoir franchi le pas du baiser, je le sais important dans ma vie.

Nous ne parlons jamais de ma vie clandestine comme d'un problème à résoudre. Olivier semble avoir accepté l'idée qu'il est intéressé par une fille qui vend son corps pour payer ses études. J'avoue que j'ai depuis longtemps perdu le fil d'une pensée claire et précise concernant cette partie de ma vie. Olivier ne me demande rien non plus. Il a probablement d'autres démons à combattre avant d'être en mesure de s'attaquer aux miens.

Nous passons des journées entières ensemble, à errer dans V., ou de longues soirées à discuter chez moi jusqu'à l'aube. Nous nous comprenons facilement, nous sommes parfois en désaccord, mais notre relation est incroyablement humaine : l'un cherche toujours à saisir la pensée de l'autre avant de la critiquer. Nous nous amusons beaucoup aussi. Son rire est un véritable ravissement pour mes oreilles et mes yeux. La seconde avant qu'il n'explose dans l'air, je le devine prêt à bondir à ses lèvres qui se rétractent en une grimace improvisée pour finalement se relâcher complètement. Je le regarde alors et en oublie de rire moi-même, captivée par ce tableau surprenant. Ce mec n'est pas beau, mais à mes yeux, il est magnifique. Loin d'être parfait, et c'est cela même qui le rend si noble. Il s'arrête alors de plaisanter pour m'admirer à son tour, et le silence se fait, naturel et beau.

Je n'en reviens toujours pas du peu de temps qu'il nous a fallu pour être si proches. Je ne cherche pas longtemps d'explication, la vie et ses rencontres n'en ont pas toujours.

Laura D.

J'ai souvent fonctionné ainsi, me laissant porter par les événements, les acceptant comme ils viennent et tâchant, dans la mesure du possible, de ne pas me plaindre.

Un soir, il m'appelle pour me proposer un dîner chez lui. J'accepte avec joie, sa présence se fait de plus en plus essentielle à mes yeux, il me manque littéralement dès que je le quitte.

La soirée se passe sans surprises, dans la joie et la bonne humeur. Nous sommes heureux de nous retrouver, même si nous nous sommes vus la veille. La discussion prend son chemin habituel : un fracas de non-sens, un tohu-bohu de plaisanteries mêlées à des sujets plus sérieux. Puis, à la fin du repas, Olivier prend son verre de vin rouge en main et fait résonner son couteau sur le bord de l'assiette dans un bruit qui réclame le silence. Sa mine est plutôt grave, et puisque c'est un air que je ne lui connais pas, je me raidis un peu sur ma chaise.

– Laura...

Il cherche encore ses mots, est-ce bon signe ? Je ne réponds pas, aucun intérêt.

– Laura...

Puis il se lève doucement pour m'embrasser. C'est la plus belle des déclarations d'amour que l'on m'ait jamais faites. J'ai tellement entendu mon prénom, ces derniers mois, déformé par les envies furibondes d'inconnus. J'ai même souhaité ne plus jamais l'entendre, tant il a poussé ma schizophrénie à son paroxysme, m'obligeant à jongler avec ma nouvelle amie imaginaire, la nouvelle colocataire de mon cerveau : Laura la prostituée.

Mais là, mon identité tout entière retrouve sa place et sa raison d'être. Je ne suis pas une pute à ses yeux, je suis Laura. Ce baiser clarifie ce que l'on n'ose avouer depuis toutes ces semaines : nous sommes passionnément amoureux. Après Manu, je n'aurais jamais pu penser retomber amoureuse si vite, compte tenu de ma vie cachée. Je ne ressens évidemment aucun sentiment avec mes clients, et en conséquence, il me semblait que j'étais devenue hermétique à toute émotion. Olivier me prouve ce soir le contraire. Par ce baiser, insignifiant pour beaucoup, je me sens revivre, je m'accepte en tant qu'être aimant et non plus seulement en tant qu'objet mis au service d'inconnus.

Les semaines qui suivent sont les plus intenses de ma courte vie. Olivier et moi ne nous quittons plus, nous avançons dans la vie ensemble, sans nous poser de questions sur le futur. Je continue de voir des clients, tout simplement parce que j'ai toujours autant besoin d'argent. Je suis devenue de plus en plus exigeante dans mon train de vie, je me permets de m'offrir des choses que je n'aurais pas pu imaginer posséder six mois plus tôt.

La première fois que nous faisons l'amour, il se passe quelque chose de très révélateur. En pleine action, Olivier s'interrompt pour me regarder profondément de ses yeux verts. Il brise soudain le silence pour me dire :

– Laura…

Il avale sa salive, comme pour prendre le courage de parler.

– Laura, tu fais quoi là ?

– Euh, je suis là avec toi. Nous faisons l'amour.

– Non, Laura. Là, tu me laisses te baiser, ce n'est pas la même chose.

J'ai eu un mouvement de recul.

– Laura, je ne te baise pas. Je te fais l'amour.

Je m'arrête totalement pour réfléchir quelques instants à ce qu'Olivier vient de me dire. Après ces mois passés à n'avoir pour toute sexualité que mes clients, je ne me suis pas rendu compte que je m'étais approprié certains réflexes pour me protéger. Attendre, sans bouger, fermer les yeux : tout ceci n'est évidemment pas compatible avec un petit ami.

Olivier me serre longuement dans ses bras et je tombe dans un sommeil paisible et profond, sereine. Le lendemain, nous faisons l'amour avec une douceur magnifique.

Olivier ne ferme pas les yeux sur ma vie interdite, bien au contraire. Au fil du temps, il est devenu mon agenda : je l'informe toujours de l'horaire et du lieu de mes rendez-vous, au cas où il m'arriverait quelque chose. Je ne me rends pas compte de la bizarrerie de cette relation. Il me permet littéralement de le tromper et, pire, m'aide dans mon organisation. Nous n'en reparlons pas après, parce qu'il n'a pas besoin d'entendre ce qui s'est passé. Je ne le considère pas comme masochiste et je ne me vois pas comme une fille sadique. Nous voulons tout simplement tout partager et si, pour cela, il faut qu'il connaisse le nom de mes clients et mes heures de rendez-vous, je suis prête à lui en parler.

Un jour, je conviens d'un rendez-vous avec un nouvel inconnu, près de la gare. Je dois le retrouver en fin d'après-midi, et avant d'y aller, Olivier et moi passons prendre un café dans le bar de Paul. Tandis que j'avale la première gorgée brûlante de mon café, mon portable se met à sonner. C'est l'homme en question au bout du fil.

– Laura ? Oui, je préférerais que l'on se retrouve sur le parking devant la gare, vers 21 heures, ça te va ? Je sais que ça fait plus tard que prévu, mais j'ai un empêchement avant.

– Devant la gare ? je ne sais pas trop…

Ce type devient louche.

– Devant la gare, ce n'est pas vraiment sûr, je ne suis pas certaine de vouloir te retrouver là-bas à une heure pareille.

Olivier a relevé la tête et écoute la conversation à présent.

– Mais non, ne t'en fais pas, Laura, je serai en voiture, je passerai juste te prendre et nous partirons rapidement. On ne va pas passer la soirée là-bas !

Cette conversation doit s'arrêter immédiatement et ce rendez-vous doit être annulé. Il est hors de question que je retrouve un inconnu dans sa voiture près de la gare à une heure tardive.

– Je vais devoir annuler, je ne suis pas disponible à cette heure-là.

Je coupe la ligne sans attendre une réponse de sa part. Olivier ne m'a pas quittée du regard, mais j'évite ses yeux. Il sent bien que quelque chose cloche.

190

– Tout va bien ? finit-il par demander.

– Oui, tout va bien. J'annule ce client.

Il n'a même pas eu le temps de sourire que mon portable se remet à sonner. J'aurais dû m'y attendre, ce type bizarre ne va pas lâcher prise de sitôt. Nous contemplons la sonnerie stridente du téléphone. Nous comprenons qui appelle, et pour la première fois dans notre relation, je sens que mes jeux interdits se mettent entre nous deux.

Je réponds. Toujours lui.

– Laura, pourquoi as-tu raccroché ? Je suis sûr que l'on peut se voir plus tard, ou un autre jour. Enfin, on peut trouver un arrangement, non ?

Je bredouille que je ne suis pas libre, et une nouvelle fois, je raccroche brutalement. Les yeux d'Olivier s'allument de fureur, il est sur le point d'exploser. Je lui prends les deux mains et je les couvre d'une pluie de baisers. Nous sentons la pression de la situation, attendant comme une évidence que le téléphone se remette à sonner.

Notre silence est effectivement brisé quelques minutes plus tard. Dans un geste d'une violence extrême, Olivier s'empare de l'appareil et décroche en hurlant un « allô ! » plein de rage.

Je n'ai aucune idée de ce que le client a dit. Je suppose qu'il a pris peur en entendant une voix masculine et haineuse. J'observe seulement Olivier beugler au mec de ne plus jamais me rappeler, qu'il se chargera personnellement de le retrouver s'il tente de reprendre contact avec moi.

Je comprends que nous avons dépassé nos limites. En criant, en s'emportant, en ne sachant plus ce qu'il dit, Olivier lâche la bride à la colère qu'il accumulait, inconsciemment ou non, pendant ces dernières semaines.

Après quelques secondes d'insultes, il repose le téléphone dans un geste violent sur la table de bois. Il me regarde l'espace d'une seconde seulement et détourne les yeux pour se concentrer sur son café. Nous n'abordons plus jamais le sujet, et je garde ma prostitution secrète. Plus d'agenda, plus de planning à deux, je redeviens sa petite amie et lui décide à nouveau de fermer les yeux sur ce qu'il n'aurait jamais dû savoir.

Notre relation passionnelle est rapidement pourrie par cet épisode. Olivier ne peut plus faire semblant. De mon côté, je ne peux plus m'arrêter : je veux toujours plus d'argent. À ce moment-là de ma vie, perdre Olivier est la chose que je redoute le plus au monde, mais je continue malgré tout à voir des clients. La prostitution fait elle aussi partie de mon quotidien, et je me persuade que je ne m'en sortirai pas financièrement sans elle.

Un matin, en me réveillant chez lui, je trouve le lit vide. La place est encore chaude et la matinée peu avancée. Olivier est dans la cuisine, à la fenêtre, pensif. Il boit son café lentement, le regard dénué de toute vie.

Je m'approche sur la pointe des pieds et lui passe amoureusement la main dans le dos. Il ne réagit pas. Puis vient ce que je redoute depuis plusieurs jours maintenant.

Laura D.

– Laura…

Toujours ce « Laura » qui revient, celui qu'il a utilisé pour me déclarer sa flamme, pour m'aider à retrouver mon identité. Mais cette fois-ci, il sonne de façon affreusement différente. Ce « Laura » est un point final, ce « Laura » met un terme à notre histoire dans cette cuisine sombre, à l'aube.

C'est tout. Je pars le jour même, remballant mes affaires éparpillées un peu partout dans le capharnaüm de son appartement. Ce n'est qu'une fois dehors que je laisse les larmes couler sur mes joues. Pour une fois, je ne les essuie pas, elles méritent de ruisseler sur mon visage.

Chapitre 19

La panique

25 mars 2007

Accoudée au bar de Paul, je discute gentiment, superficiellement. Je n'y suis pas revenue depuis ma rupture avec Olivier une semaine plus tôt. Ce dernier évite d'ailleurs soigneusement l'endroit.

Pour la première fois de ma vie, je me sens seule au monde. J'ai fait le choix, il y a quelques mois, de confier mon lourd secret, et à présent, il me semble que je ne suis plus capable de l'enfouir au fond de moi-même comme avant. Il pèse beaucoup trop en moi.

Paul a la délicatesse de ne pas mentionner Olivier : peut-être par respect pour notre souffrance silencieuse. Peut-être aussi qu'il s'en fout complètement. Les conversations légères et sans intérêt redeviennent donc naturellement notre principal échange.

Cet après-midi, je me suis décidée à sortir de chez moi, après une semaine que j'ai passée à ruminer ma douleur dans la solitude de mon appartement, plongée dans le travail. Je sais qu'il faut que j'oublie et que je tourne la page, mais c'est bien plus dur que je ne l'imaginais. Je me dois de reprendre une vie « normale », bien que je ne puisse plus me résoudre à la qualifier ainsi.

La porte s'est soudain ouverte. Le bar n'est pas bien grand, les clients qui entrent se font forcément un peu dévisager par les consommateurs.

Je le reconnais tout de suite. Mon sang se glace, je suis pétrifiée. Il est accompagné de sa copine, qui est peut-être même sa femme, et, comble de l'horreur, il y a son enfant. Un petit garçon blond et souriant, avec de grands yeux bleus et des boucles magnifiques. Je ne jette qu'un regard rapide à sa femme. C'est plus fort que moi, il faut que je la détaille. Elle est brune et plutôt grande, un peu potelée mais très élégante. Elle tient son petit par la main et lui sourit. Ce doit être une bonne mère.

Je me retourne rapidement vers le bar, dos à la porte. Je ne sais plus quoi faire.

– Salut, Paul, lance le mec.

– Salut, Mathias ! Comment ça va ? Ça fait un bail ! Ah, t'as amené toute la petite famille aujourd'hui !

Merde, ils se connaissent ! C'est un enfer ! Un mois plus tôt, ce mec m'a contactée pour un « massage » dans un hôtel minable. Je le retrouve à présent dans ce bar, mon bar. Je n'ose plus me décoller de ma chaise tabouret, pour ne pas lui faire face, bien sûr, mais aussi pour ne pas réaliser vraiment ce qui se passe.

Pendant ce temps, Mathias n'a pas encore remarqué ma présence et engage la conversation avec Paul tandis que, dans mon dos, j'entends Boucle d'or gazouiller avec sa mère, un peu en retrait. Mathias ne m'a vue qu'une fois, il est peut-être légitime qu'il ne reconnaisse pas ma nuque. Je ne suis après tout qu'une agréable erreur qu'il a oubliée très rapidement. Moi, je les reconnais tous, je connais leurs visages par cœur, pour les avoir beaucoup observés. Je reconnais leurs voix, et me retourne régulièrement dans la rue croyant avoir entendu l'une d'entre elles.

Il est littéralement accoudé au bar à présent, me frôle de son épaule. Il faut que je m'en aille, que je parte de ce bar le plus rapidement possible. Je descends de ma chaise la tête baissée, et trébuche un peu sur mon sac en posant les pieds par terre, ce qui le fait se retourner.

Nos regards se croisent. Sa bouche s'entrouvre. Il sait qu'il m'a déjà vue quelque part, et en cherchant une seconde dans sa tête, il a trouvé où. Je vois dans sa pupille l'horreur et la panique qu'il éprouve à me voir ici. Nous restons bloqués juste une seconde mais qui me paraît être une éternité.

Voyant que je m'empare de mon sac et m'apprête à partir, Paul me demande :

– Tu t'en vas déjà, Laura ? Tu n'as même pas terminé ton café !

– Je viens de me rappeler que j'ai quelque chose à faire, je dois partir, bredouillé-je en m'empêtrant dans la lanière de ma besace.

– Attends deux minutes, viens, je te présente Mathias, un de mes meilleurs potes !

« *Non, je le connais déjà ton pote, et plutôt bien d'ailleurs.* » Paul ne peut comprendre l'affolement qui m'envahit en ce moment. S'il touchait mes mains moites, il comprendrait que quelque chose d'anormal se passe. Mathias, de son côté, jette un coup d'œil frénétique vers sa dulcinée accroupie derrière lui, bien trop occupée heureusement à jouer avec sa progéniture.

– Bonjour, enchantée, Laura, dis-je en tendant la main pour qu'il me la serre.

– Euh, salut, euh… Mathias, enchanté aussi.

Tu parles ! Nos doigts, raides comme des piquets, se rejoignent pour une poignée de main vague et prompte. Nos regards angoissés cherchent une diversion. Paul remarque notre gêne.

– Ça va, Laura ? Tu ne veux pas rester un peu plus ?

– Non, je dois partir, désolée.

Ah ça oui, je suis désolée. Sans demander mon reste, je me dirige déjà vers la sortie en bafouillant un « au revoir » inaudible. Je vois le regard de Paul qui ne comprend pas, il hausse simplement les épaules et entreprend d'essuyer ses verres.

Je cours pendant une minute ou deux sans m'arrêter, pour éloigner ce bar et ce moment de mon esprit. Ma course s'achève à l'angle d'une petite rue, je prends une énorme bouffée d'air frais. J'ai soudain envie de hurler et de pleurer à la fois. C'en est trop : mes deux vies se sont rencontrées, mes deux personnalités se sont côtoyées. J'ai jusqu'à présent réussi à faire la part des choses, mais il ne faut pas trop m'en demander. J'ai fait face à la famille de

Laura D.

Mathias : tout ce que je me refuse à imaginer lorsque je me retrouve avec un client s'est matérialisé à mon insu aujourd'hui.

Ce n'est plus possible. Il faut que je quitte cette ville à tout prix.

Chapitre 20

La dépossession

30 mars 2007

Je m'étais promis de ne pas revoir Joe, mais il m'a prise par les sentiments. Je l'ai informé de mon départ imminent pour Paris. Je pensais stupidement qu'ainsi il me laisserait tranquille. Étais-je claire dans ma tête ? « Pour ton départ à Paris, tu as besoin d'argent, tu ne peux pas partir sans rien dans les poches. Allez juste une dernière fois, ce n'est pas grand-chose et ça nous arrange tous les deux. »

J'ai depuis peu son numéro de portable et lui a le mien. Je le lui ai donné sous la pression, je me rends compte aujourd'hui de mon erreur. Dire qu'il me téléphone régulièrement aurait été un mensonge : il me harcèle littéralement ! Je lui plais vraiment et je corresponds à son fantasme d'étudiante sexy et coquine. Et voilà qu'il me propose quelque chose de dingue.

Rien de moins que 1 000 euros pour cinq heures. C'est en effet très alléchant. Mais cinq heures, c'est long.

Qu'est-il en train de préparer ? Je pense immédiatement à la somme que cela représente. Je n'ai jamais atteint de pareils tarifs et cet argent me permettrait d'arriver plus sereine à Paris. Je pourrais ainsi prendre mon temps pour trouver un travail respectable et qui me convienne, pas à la va-vite dans un bar minable. Dans ma tête, il est hors de question de retomber dans un merdier semblable à V. Je fuis clairement cette ville, je ne veux plus avoir à me cacher, à calculer et à mentir. À Paris, je deviendrai sage.

Nous nous sommes fixé rendez-vous au même hôtel que d'habitude. Cet endroit me rassure en fin de compte. Malgré tout, une confiance, stupide je l'avoue, me lie à Joe. Il m'a certes fait hurler de douleur et d'humiliation la dernière fois que nous nous sommes rencontrés, mais au moins je le connais, et je crois ne pas risquer ma vie lorsque je vais le voir. Je sais que malgré tout ce qu'il risque de me faire et qui me fera pleurer quand j'y repenserai la nuit dans mon lit, il ne m'étranglera pas ni ne me poignardera. Bref, je suis déjà sous son influence. Il paie bien.

Au début, nous avons vaguement gardé contact par mail. Lui se faisait plus insistant pour organiser une nouvelle rencontre, je sentais son envie furieuse à travers les quelques lignes qu'il m'écrivait. Il me proposait tout le temps des heures de rendez-vous, je prétextais qu'elles ne me convenaient pas. Pour faire semblant d'y mettre du mien, je lui en proposais moi aussi, mais à des heures où je savais qu'il ne pouvait pas se libérer. Je me suis demandé souvent pourquoi je joue à ce jeu, pourquoi je ne l'ai pas supprimé de ma boîte mail. C'est plus fort que moi, je le vois comme une roue de secours, quelqu'un qui peut me faire souffler financièrement si je viens à manquer d'argent.

Et là, j'ai justement besoin d'argent depuis que je veux m'exiler, fuir loin, sentant que ma vie penche dangereusement vers quelque chose que je ne pourrai bientôt plus maîtriser. Le problème majeur reste évidemment les sous. Je n'ai pas un rond, même pas pour payer mon billet de train.

J'ai pourtant tout organisé : une amie de ma mère m'hébergera une fois là-bas le temps que je trouve un travail et un appartement. J'ai réussi à me faire faire un certificat médical bidon qui m'autorise à louper les TD à la fac. Une amie de fac me prendra tous les cours et je viendrai passer mes examens à la fin mai. Pour mon boulot, tant pis. Je ne comptais pas faire ma vie dans une boîte de télémarketing, de toute façon. Mon entourage est prévenu de mon départ imminent. Mon père a soupiré, préférant m'ignorer plutôt que m'engueuler. Il a l'impression de revivre l'année de ma terminale et mon abandon des cours. Mais il n'est pas question de laisser tomber les études, je continue à distance, l'université représente ma seule porte de sortie. Je me raccroche tellement à cette idée que je suis motivée comme jamais pour réussir.

Bref, cet exil est ma dernière chance de me dégager de la prostitution où je me perds. Dès que j'aurai l'argent pour ce foutu billet aller, je m'en irai.

Mais je n'ai pas cet argent. Ironiquement, il me faut revoir Joe pour me défaire de ma vie de prostituée. J'ai donc cédé à ses propositions, et dans un mail je lui ai demandé son numéro de téléphone. Après quelques jours de réflexion, je l'ai appelé.

– Joe, c'est Laura.

– Salut, Laura, comment vas-tu ?

Je ne veux pas faire dans les banalités. Je coupe donc court à la conversation et expose directement les raisons de mon appel.

– Cinq heures, Joe, pas une minute de plus. Cinq heures à 1 000 euros.

Il a dû être surpris que j'engage directement le sujet là-dessus, mais très vite, il a répondu.

– Euh, c'est parfait, Laura. Cinq heures c'est parfait, et 1 000 euros ça me convient. On se retrouve comme d'habitude, devant l'hôtel ? Disons mercredi, à 13 heures ?

– Oui, c'est bon pour mercredi. J'y serai.

– N'oublie pas d'amener des vêtements sexy.

J'ai raccroché tout de suite après. Il m'a à chaque fois demandé de me munir de fringues affriolantes qui couvrent très peu le corps, car mon jean et mes tee-shirts ne l'excitent pas beaucoup, pas assez. Ce qu'il veut, c'est une étudiante qui joue à l'adulte dans des habits de femme. C'est ça qu'il aime.

Le mercredi, nous nous sommes retrouvés devant l'hôtel. Il m'a demandé d'entrer la première. Je sens bien qu'il a une mise en scène en tête ; et je suppose qu'une lettre m'attend sur le lit, comme d'habitude.

Laura D.

Bingo, un mot est effectivement posé sur le lit :

Bonjour, Laura
Je suis très content que tu aies accepté de venir et je suis
certain que ce rendez-vous sera parfait.
Comme d'habitude, je veux que tu prennes d'abord une
douche. Ensuite, tu ressortiras de la chambre pour aller
cogner à la porte. Quand je répondrai, tu entreras.

Ces requêtes sont habituelles : la douche, la porte, bref
rien de bien neuf. En un sens, cela me rassure. J'ai reposé
la lettre pour me diriger vers la salle de bains.

Je pars donc me doucher, et laisse l'eau brûlante couler
lentement sur mon corps. Je me sens molle et sans
énergie. Je ne me sens pas la force de riposter aujourd'hui.

Après m'être soigneusement lavée, je reviens dans la
chambre. Il est là, allongé sur le lit. Sans un mot, je continue
de suivre ses consignes et sors de la chambre. Je toque, et
toujours sans lui laisser le temps de répondre, paniquée à
l'idée de croiser quelqu'un dans le couloir, j'entre.

Il ne bouge pas, ne parle pas, signe que je dois
reprendre ma lecture là ou je l'ai laissée.

Aujourd'hui, nous allons rester environ une demi-heure
dans la chambre pour parler, puis nous irons dans un endroit
que je veux te montrer, juste à côté de l'hôtel.

Un endroit ? Quel endroit ? Même si cet hôtel m'évoque des moments répugnants, je le connais. Les endroits que Joe peut fréquenter en dehors de cette chambre me sont inconnus, et donc dangereux. Je n'ai par ailleurs aucune envie de me retrouver à l'extérieur avec lui, aux yeux de tous. Je ne veux pas m'exposer. Ma tête est une vraie balance, où d'un côté ma raison me hurle de m'en aller et de l'autre les 1 000 euros scintillent. Tout ceci ne présage rien de bon.

C'est un sex-shop que je connais bien, où nous allons nous amuser et prendre du plaisir tous les deux.

Je lève des yeux interrogateurs et quelque peu apeurés vers lui.

– Viens, rejoins-moi sur le canapé, dit-il.

C'est donc cela qu'il appelle « parler ». Il va me sortir toute sa rhétorique pour me convaincre de venir avec lui dans cet endroit glauque, je vois déjà le tableau.

– Écoute, c'est un endroit très bien, qui m'excite beaucoup. C'est à deux pas de l'hôtel, on ne risque pas de nous voir en chemin, c'est vraiment tout près.

– Joe, je ne le sens pas du tout, il y aura des gens là-bas, et je ne veux pas qu'on me voie. Je ne suis pas rassurée. Non vraiment, cela ne me tente pas du tout, je préfère rester ici.

– Mais non, Laura, ne t'en fais pas. C'est bien là-bas, il n'y aura aucun souci, je peux te l'assurer. Personne ne te verra. Il y a une salle dans le fond du magasin où ne vont que les habitués. C'est un lieu très sombre, personne ne nous verra là-bas, tu peux me faire confiance. Il y a des vidéos que l'on pourra regarder ensemble, c'est très excitant. J'y suis allé régulièrement avec des femmes et tout s'est toujours bien passé.

Il sait qu'il faut prendre des pincettes avec moi, que je vais refuser. Je ne connais évidemment pas ce genre d'endroits et la seule représentation que je m'en fais est lugubre. Je ne peux imaginer ce qui m'attend, et c'est bien cela le problème. Après plusieurs minutes, il finit par dire :

– Écoute, allons-y et puis nous verrons. Si tu ne te sens vraiment pas à l'aise, nous reviendrons à l'hôtel. Tu sais, je comprends complètement, je suis quelqu'un de très timide et de très pudique aussi.

Je soupire, mais une voix me souffle : « 1 000 *euros, Laura, et après tu dégages. Tu laisses toute cette merde derrière toi. Sans ce fric, tu ne partiras jamais.* »

– Très bien. Mais dès que je le veux, on rentre, dis-je finalement.

Nous nous mettons donc en route vers le sex-shop. Il est en effet juste à côté de l'hôtel, à l'angle de la rue.

Lorsque nous entrons, la sonnerie de la porte résonne. Je fais face au caissier du magasin. Il a entre 25 et 30 ans et est si beau que je reste bloquée un instant devant lui. Quel mec ! Dans la rue, dans d'autres circonstances, je serais peut-être allée lui demander son numéro de téléphone. Mais ici, dans cet endroit, accompagnée de Joe qui aurait pu être mon père, je rougis jusqu'aux oreilles.

Lui aussi m'a remarquée. J'ai vu dans ses yeux, l'espace d'une seconde, que je lui plaisais, mais ce regard s'est soudainement mué en dégoût. Il me juge, et doit certainement se dire que je ne suis qu'une pute qui vient se faire baiser dans les sex-shops. Il s'en veut certainement de m'avoir trouvée à son goût pendant un instant. Moi qui ai un caractère fort, moi qui ne me laisse jamais abattre, j'avoue me sentir plus basse que terre. Ce mec me renvoie tout ce que je me refuse de voir : l'image de Laura dans sa deuxième vie, l'image de Laura la prostituée qui se fait entretenir par des vieux. Oui, dans ses yeux, je ne suis qu'une simple pute. Mais bon, lui est bien caissier de sex-shop !

Joe règle l'entrée, une somme dérisoire, quelques euros. Il se dirige rapidement vers la salle du fond, cachée par de grands rideaux noirs. Encore des rideaux. Il y en a à chaque fois que je me retrouve avec un client. Ils confirment que ce que je fais est mal, est sale. Je glisse à l'intérieur de la pièce, évitant le regard du vendeur, qui de toute façon ne me regarde plus.

L'endroit est très sombre, et il me faut quelques secondes pour m'habituer à l'obscurité. Tout ce que je peux sentir au début, c'est une odeur fauve, une odeur de chair humaine. Un frisson parcourt mon corps. Quand je peux enfin distinguer ce qui m'entoure, je vois un grand rétroprojecteur en face de moi qui retransmet un film porno où une blonde vulgaire hurle de plaisir. Une vingtaine de chaises sont installées en rangées devant l'écran. À première vue, il y a un peu plus de dix personnes dans la pièce, tous des hommes, affalés sur les chaises, ou debout en train de se masturber. Je me retiens de gémir de dégoût. La salle est plutôt grande, d'après ce que je vois, toute décorée en noir. L'ensemble ressemble un peu à une boîte de nuit : on voit que l'endroit a été travaillé pour donner une impression de salle branchée. Le résultat est mauvais : on sait très bien en entrant dans ce lieu qu'il s'y passe des choses louches.

– Tiens, prends une chaise, me dit Joe, on va regarder un peu le film ensemble.

Perdue, je ne sais plus quoi faire. M'asseoir près de ces gars, c'est leur laisser une chance de voir qui je suis. Et si je connais l'un d'entre eux ? Je n'ai aucune justification passable. Être dans un sex-shop à choisir une vidéo, passe encore, on se taille la réputation d'une coquine un peu perverse. Se trouver dans cette pièce ne laisse aucun alibi.

Penaude, comme une gamine de 6 ans, j'écoute les ordres de celui qui fait office de représentation paternaliste. Je m'assois au deuxième rang, après avoir étudié les places disponibles qui ne me rapprochent pas trop des autres hommes. Joe, lui, reste un peu en retrait, debout, à observer. Il regarde les clients du sex-shop tout en jetant des coups d'œil au film. Je sens les regards se tourner vers moi. Je suis la seule femme dans cet endroit. Les clients doivent se dire qu'ils ont beaucoup de chance aujourd'hui : ils vont peut-être pouvoir réaliser leurs fantasmes avec une femme, une vraie.

Je m'efforce de regarder le film et de ne penser à rien, mais c'est tout simplement impossible. Les cris d'une blonde à l'écran, les gémissements de plaisir des mecs, je ne peux faire abstraction de tous ces bruits. Je ne veux pas fermer les yeux. Autant que possible dans une pareille situation, je veux rester maître de moi-même.

Joe s'approche de moi et me glisse à l'oreille en me désignant un homme d'une cinquantaine d'années :

– Celui-là, tu peux le laisser t'approcher. Je lui ai parlé de toi, il ne te fera rien, je le connais. Celui-là aussi, il est réglo.

Il parle cette fois-ci d'un autre mec du même âge, qui se trouve au premier rang. Il les montre impunément du doigt, ils sont de toute façon bien trop occupés avec leur vidéo. Il les connaît donc tous, et pire, il leur parle de moi ! Je sens un horrible traquenard se refermer sur moi. Je me reposais sur Joe pour me protéger, alors qu'il est le responsable de ma présence ici. Je murmure un petit « OK », tout en continuant d'observer autour de moi, comme pour repérer d'où viendra le danger en premier.

– Ça suffit, on a assez regardé d'images pour aujourd'hui.

Joe a dit cela comme s'il m'arrachait à une activité qui m'enchantait. Dans l'absolu et au vu de la situation, j'aurais incontestablement préféré rester pendant cinq heures à regarder ce film de cul. Je sais qu'en me levant et en le suivant, les choses sérieuses vont commencer. Je tremble d'avance.

– Tu as amené tes affaires ? me demande-t-il.

210

– Oui, dis-je en montrant du doigt un sac en plastique dont je me suis débarrassée dès mon arrivée en le posant contre un mur.

– Bien, va te changer maintenant, tu peux utiliser une de ces cabines là-bas.

Il désigne une cabine que je n'ai pas remarquée derrière moi. Il y en a trois identiques alignées contre le mur opposé au mini-cinéma.

Je m'empare de mes habits et entre dans la cabine. Il n'y a la place que pour une personne et une banale chaise est l'unique objet qui s'y trouve. La lumière blanche m'aveugle un peu quand j'entre, après la quasi-obscurité de la salle. Je sors du sac une nuisette noire décolletée. Je me change rapidement, de peur que quelqu'un entre dans la cabine et essaie de me toucher. Lorsque je relève la tête, je vois que la cabine est parsemée de trous à différentes hauteurs, mais je ne comprends pas tout de suite leur utilité.

Quand je ressors, les bras croisés sur mon décolleté pour essayer de cacher un petit peu de ma peau, Joe m'attend à l'extérieur. Il est un peu impressionné par mon accoutrement, je ne fais en général pas beaucoup d'efforts pour apporter des vêtements sexy.

– Très bien, très jolie nuisette ! Bon, écoute-moi bien, tu vas entrer de nouveau dans cette cabine et attendre un peu. Lorsqu'ils s'approcheront, tu feras ce dont tu as envie.

Comment ça « ils » ? Je ne comprends pas ce qu'il me dit. Je n'ai pas le temps de chercher à comprendre. Joe me pousse gentiment vers l'intérieur de la cabine, et referme la porte derrière moi. Je m'assois sur la chaise, incertaine. La minute d'après, un sexe s'introduit dans un trou. Voilà donc à quoi ils servent... Ils vont tous venir, attendant que je les touche et plus. Mais où suis-je tombée ? Je me sens naïve d'avoir pu croire que tout passerait rapidement.

J'entends des gémissements de plaisir à l'extérieur. J'ai un mouvement de recul brusque, et tourne immédiatement le loquet de la cabine pour m'enfermer. Me rejetant en arrière, je sens quelque chose contre mon épaule. Un autre sexe. Puis un troisième, puis d'autres. Même si j'avais voulu, je n'aurais pas pu tous les toucher, tellement il y en a.

J'ai soudain une nausée devant ce tableau absurde. Je prends ma tête dans mes mains et me recroqueville pour ne plus les voir, ni les sentir. Je ne suis rien, pas plus qu'un objet, une simple machine à masturber. C'est un cauchemar, cela ne peut pas réellement être en train de se produire. Si c'est le prix à payer pour aller à Paris, je n'en veux plus, je veux rentrer chez moi tout de suite.

Je relève la tête vers le haut de la cabine. Je vois l'œil d'un homme qui m'observe. Je comprends alors toute la perversité de cette espèce de dispositif. Je tourne la tête pour ne pas affronter cet œil perçant. Mon regard en croise un autre. Ils m'observent tous, ils réclament, impatients de désir, de sentir mes mains ou ma bouche.

Je baisse mon visage et attends, les mains contre les oreilles, me fermant au monde. Je hurle intérieurement. Je murmure une chanson dans ma tête, pour ne plus entendre leurs gémissements. Je suis au bord de la crise de nerfs. Je ne pleure pas, j'ai atteint un stade de douleur intérieure tellement profond qu'il ne permet plus aucune larme.

Je ne sais pas combien de temps je passe ainsi, la tête enfouie dans mes genoux, mais quand je la relève, les sexes ne sont plus là. Je me tourne et retourne frénétiquement pour bien vérifier. Cette situation est affreuse. Combien de temps ai-je passé à me lamenter ? Dix minutes ? Une heure ? Je suis totalement incapable de donner ne serait-ce qu'une estimation.

Il me faut sortir à présent de cet endroit infernal, mais je crains que les pervers m'attendent dehors et se jettent sur moi. En même temps, je ne peux pas m'éterniser dans cette cabine. Après un moment d'hésitation, je tourne prudemment le loquet.

À mon plus grand soulagement, personne ne m'attend à la sortie sauf Joe. il arbore un sourire ravi, il est probablement l'un des yeux qui m'ont allègrement matée dans la cabine.

– Alors, qu'en as-tu pensé ?

Je ne réponds pas : il sait très bien ce que j'en ai pensé. Je suis frigorifiée, je frissonne de peur. Le plus absurde dans cette histoire est indéniablement que je dépends entièrement de lui. Il ne fait aucun doute que c'est lui qui leur a demandé de s'arrêter. Son regard trahit un sentiment de pouvoir absolu. Quelque chose dans ses yeux me fait entrevoir ce qui se prépare. Si je ne réagis pas tout de suite, je vais probablement me faire prendre par tous ces hommes. Alors, mue par l'énergie du désespoir, je prends mes affaires et détale. Joe et les autres hommes me regardent d'un air dépité. Il tente de me parler, mais je n'entends plus rien. J'ai à peine le temps de sortir du sex-shop à moitié nue, mes affaires dans les bras. Joe est déjà derrière moi.

– Calme-toi, Laura. Je vais te donner tout de même 500 euros.

Je marche en perdant l'équilibre. Je sens que je vais faire un malaise. J'ai l'impression d'être droguée, soûle, je ne tiens plus debout, mes jambes ne me portent plus. Mais il me reste assez d'instinct de survie pour saisir l'enveloppe.

Nous retournons à l'hôtel, en silence. Je sens encore l'odeur des hommes sur mon corps. Le chemin se fait sans un mot. Si je parle, je vais gifler Joe ou lui cracher au visage. Je me déteste de ne pas avoir compris qu'il n'était qu'un vieux fou vicieux. Je veux en finir, pour toujours. Je ne pense plus qu'à une chose à présent, prendre mon argent et me barrer loin, très loin. Je me sens tellement sale, je voudrais pleurer, mais je n'y arrive plus.

Une fois dans la chambre, je lui dis :

– Je ne reste pas. Donne-moi mon argent tout de suite.

– Va prendre ta douche, je te laisse l'enveloppe sur le lit. On se revoit jeudi, t'en penses quoi ?

Après ce qu'il vient de me faire vivre, peut-il vraiment croire que j'accepterais de le revoir jeudi ? Même si les 500 euros ne me suffisent pas pour aller à Paris, je ne veux plus jamais le revoir. Il est hors de question de planifier un nouveau rendez-vous avec un pourri pareil. Mieux vaut ne pas le lui dire, nous sommes seuls dans la chambre et maintenant que je sais qu'il n'a aucune limite, je ne veux pas le provoquer. Il est encore en mesure de me frapper.

– Oui, on se revoit jeudi.

Je dois prendre une douche, je ne peux plus supporter cette odeur. Seule dans la salle de bains, je m'interdis de m'asseoir par terre, sinon je ne me relèverais jamais. J'entends la porte claquer, Joe est parti. Après quinze minutes à me frotter la peau et les cheveux comme une forcenée, sous une eau brûlante, je remets mes habits et sors de la salle de bains.

Une enveloppe m'attend sur le lit, comme convenu. Je l'ouvre, alléchée par l'argent sur lequel je compte pour me consoler, ne serait-ce qu'une seconde, de mon malheur.

Elle contient 100 euros. Je vérifie : 100 euros seulement. Il en manque 400. Il m'a arnaquée. Les larmes jaillissent, et mon sanglot finit dans un hurlement. Je prends mon téléphone comme une furie et compose son numéro si vite, la vue embrumée par mes larmes, que je me trompe et dois m'y reprendre à trois fois, ce qui me rend d'autant plus folle. Mes mains tremblent, je pousse des cris sauvages en tapant dans le mur avec mon petit poing. Son portable ne répond pas. Il doit déjà être loin à présent.

Je secoue l'enveloppe vers le bas, espérant encore y trouver ce qui m'est dû. Rien. Je bouge même le bureau, secoue les draps violemment. Je regarde autour de moi comme hagarde, essayant de me convaincre qu'il a dû laisser le reste de mon fric quelque part dans cette chambre affreuse. Rien, définitivement. Au lieu de cela, il y a une lettre sur le lit, qu'il a dû placer sous l'enveloppe en partant.

Elle a été griffonnée à la va-vite, certainement quand je prenais ma douche.

Laura, tu as pu le constater, il n'y a que 100 euros dans l'enveloppe, au lieu des 500 euros prévus. Je te donnerai le reste jeudi, quand nous nous verrons. Je voulais juste m'assurer que je te reverrais avant que tu partes pour Paris. Fais-moi confiance, tu auras ton argent. Bonne fin de journée, Laura.

Je jette la lettre par terre dans une rage folle. Envolé Paris, envolée la nouvelle vie, je vais devoir rester ici. Je ne m'en sortirai jamais, ma vie est bloquée dans la prostitution à jamais.

Les rôles se sont à présent inversés. Aujourd'hui, c'est moi qui suis pigeonnée.

Chapitre 21

La fuite

2 avril 2007

On est jeudi, je reviens devant l'hôtel, sans y croire. Bien entendu, Joe ne s'est pas pointé. Ma colère ne s'est pas calmée, au bout d'une demi-heure je trépigne déjà et l'injurie seule dans la rue. Les passants se retournent, mais je ne les remarque pas, je n'ai qu'une chose en tête en ce moment : récupérer mon argent.

Une fois rentrée chez moi, je lui laisse un message explosif sur son téléphone qui ne répond toujours pas, en lui criant qu'il a intérêt à me rappeler pour me donner mes tunes. Silence radio pendant trois jours. Trois jours que je passe à me morfondre sur mon sort, pleurant dès que je pense à Paris. Je vois la tour Eiffel en flou, et tous mes beaux projets qui s'effondrent.

Trois jours plus tard, mon téléphone sonne :

– Laura ?

Je reconnais sa voix tout de suite. Mon sang ne fait qu'un tour.

– Putain, Joe, tu t'es bien foutu de ma gueule, je veux que tu m'amènes immédiatement mon fric !

Je hurle dans l'appareil. Heureusement, je suis seule chez moi.

– Je sais, Laura, je sais. Attends, laisse-moi t'expliquer…

– Expliquer quoi ? T'es qu'un enfoiré, tu vas me rendre mes tunes tout de suite !

– Laura, je ne suis pas chez moi là. J'ai eu une crise cardiaque, je suis en convalescence dans le Sud, près de Perpignan.

J'arrête une seconde mon flot d'insultes.

– Je voulais te faire un virement, mais ma femme a bloqué mes comptes. Je crois qu'elle se doute de quelque chose.

L'ancienne Laura l'aurait cru sans hésitation. La nouvelle Laura qui est née le jour où elle s'est fait avoir, ne se laisse plus embobiner par ces tissus de mensonges.

– Je ne te crois pas, Joe, ça ne marche pas. Rends-moi mon fric.

– Laura, je te dis la vérité, je suis très malade, j'ai un cancer. Je ne vivrai pas longtemps.

Cette phrase me glace le sang. J'avoue avoir ressenti de la peine à l'annonce de cette nouvelle, malgré tout ce qu'il a pu me faire. Ce sentiment ne dure pas plus d'une seconde cependant, je le hais de nouveau. Il poursuit :

– Écoute-moi, Laura, je quitte cet endroit demain. Il faut qu'on se revoie, pour que je te rende ton argent.

Laura D.

Je vais te le rendre, c'est promis. Et puis, j'ai vraiment envie de te revoir.

Je raccroche. Je n'y crois plus. Je ne le croirai jamais plus.

Chapitre 22

L'intrusion

17 avril 2007

Deux semaines après l'épisode Joe, je rentre chez moi les bras chargés de courses. Une fois n'est pas coutume, je n'en peux plus de me priver. Il y a une autre raison. J'héberge un ami dans mon appartement et nous avons décidé de nous faire un repas de rois : poulet tandoori et riz sauvage. Je ne veux surtout pas qu'il se rende compte que je n'ai rien dans mes placards. Nous allons nous régaler et mes babines en frémissent d'avance. Je suis de très bonne humeur et je résiste au poids des sacs plastique en chantonnant.

Arrivée chez moi, je me débarrasse des victuailles dans la cuisine et me dépêche de retrouver mon colocataire provisoire. Tout en préparant à manger, il me dit :

– Tiens quelqu'un a essayé de te joindre il y a une demi-heure sur le téléphone fixe. Je lui ai dit de rappeler plus tard.

– Est-ce qu'il a dit qui il était ?

– Non. Enfin, il a dit qu'il était un ami de longue date. Apparemment, ça fait longtemps que tu ne lui as pas donné de nouvelles, alors il voulait savoir comment t'allais.

– Bon, si c'est important, il rappellera.

Une heure plus tard, en plein repas, le téléphone sonne de nouveau. Je me lève pour décrocher. Je reconnais tout de suite sa voix. Pierre. L'entrepreneur mou. Le James Bond en pantoufles.

– Laura, c'est Pierre.

– Comment tu as eu mon numéro ? Dis-je sèchement.

Tout me revient d'un coup : le goûter, la clope que j'ai fumée, mon sac ouvert et libre d'accès. Je ne cherche pas à en savoir plus, à comprendre pourquoi il a attendu tant de temps pour m'appeler : le résultat est là, il a mon numéro de téléphone fixe, ce qui implique qu'il a aussi mon adresse. La panique me rend nerveuse et les premiers sons qui sortent de ma bouche sont lancés sur le ton de la menace :

– Jamais tu ne me rappelles sur ce numéro, tu m'entends ?

– Oui, mais c'est de ta faute. Tu dis que tu me recontactes et tu ne le fais pas ! Je veux te revoir, Laura !

Ce mec est fou et il est évident à présent que je l'ai obsédé pendant tous ces mois. Je flippe totalement, cet homme est peut-être en bas de chez moi en ce moment même où il me parle, il m'appelle peut-être de ma rue, de mon immeuble…

222

– Écoute, c'est bien simple, si tu ne me laisses pas tranquille, je passe un coup de fil à ton boulot et je me ferai un plaisir de raconter comment tu te tapes des prostituées de 19 ans ! Ose me rappeler et je te pourris la vie.

La menace a porté ses fruits. Un silence se fait entre nous. Je raccroche avant même qu'il puisse placer un mot.

Les jours suivants se passent dans la peur perpétuelle de le trouver en bas de chez moi quand je sors. Je me retourne constamment sur les gens dans la rue, persuadée de l'avoir aperçu au milieu des passants. Je sais qu'il n'a pas lâché prise, car à chaque consultation de mon répondeur, la voix de robot m'annonce le nombre de ses appels, exemple : « Ce correspondant a essayé de vous joindre 26 fois aujourd'hui sans laisser de message. » 26 fois ! Quel taré ! Après avoir entendu mon répondeur me dire pour la énième fois que Pierrot le fou s'est de nouveau manifesté, je décide de rappeler le dernier numéro appelant. Je tombe sur une jeune fille qui m'annonce que Pierre Machintruc n'est pas là et qu'il faut que je rappelle demain dans la matinée. Je comprends qu'il me passe tous ses coups de fil de son travail, et connaissant à présent son nom de famille, je suis bien déterminée à lui en faire baver. Stupide de sa part. Il pense certainement que je n'oserai pas lui chercher noise.

Le lendemain, je compose donc tranquillement le numéro, j'ai un plan. Je tombe directement sur lui. Je sens son visage se décomposer au son de ma voix.

– Écoute-moi bien, Pierre. Je voulais juste t'avertir que si jamais, au grand jamais tu essayais encore de reprendre contact avec moi, je préviendrais immédiatement les flics.

– Pourquoi tu ferais une chose pareille ?

– Parce qu'en te procurant mon nom, tu aurais dû t'assurer que je n'étais pas mineure.

Il en a la respiration coupée. Je l'entends pousser un petit « merde ». Il commence à bégayer, sur un ton enjôleur :

– Ah pardon, Laura, mais je voulais juste te revoir…

Je suis à bout. Je me suis fait arnaquer une somme d'argent énorme par Joe, mon départ à Paris en pâtit sérieusement, je n'ai pas besoin d'un enfoiré de businessman apathique pour me faire chier en plus. Je me mets à hurler dans le téléphone, déversant toute ma haine sur lui :

– Je vais porter plainte contre toi pour harcèlement ! Je connais ton adresse, ton numéro de téléphone, j'ai tout sur toi et je vais m'en servir si tu t'approches encore une fois de moi !

– Mais tu es une pute, Laura.

L'enfoiré. Il l'aura voulu, les menaces ne suffisent apparemment plus. Je décide de mettre mon plan à exécution.

– Alors tu ne sais pas qu'elles sont protégées par les flics ? dis-je d'une voix narquoise.

Ce n'est pas vrai dans le cas des prostituées étudiantes, mais qu'importe, Pierre a bien trop peur pour aller vérifier.

224

Laura D.

– Alors plus jamais, tu m'entends, plus jamais tu ne me téléphones ou ne m'écris de mails, tu sors de ma vie comme tu y es entré : en deux secondes !

Je lui raccroche au nez. Je n'ai pas besoin d'attendre son aval pour terminer la conversation. Je sais que je me suis débarrassée de lui. C'est décidé : fric ou pas, je me fais la promesse de quitter cette ville au plus tôt.

Chapitre 23

L'exil

19 avril 2007

Je ne tiens pas en place devant mon texte d'espagnol. Il est 17 heures, et ce cours est le dernier auquel j'assiste à l'université de V. Hier soir, j'ai pris mes billets de train pour Paris. Je pars demain avec le train de 12 h 47 et j'arrive deux heures plus tard dans la capitale.

Face à ma copie, j'ai une envie incommensurable de pleurer. Je ne peux pas croire que ce soir, tout sera fini. Dans une heure, je ne serai plus qu'une étudiante en fuite. J'ai beau me répéter que dans l'état actuel des choses, je n'ai pas le choix, que mon départ pour Paris devient essentiel, je vis cet abandon comme un échec. Une fois de plus, je ne suis pas arrivée au terme de mon année d'études, il me semble que mon destin me rattrape, que je ne suis pas faite pour être assise en classe à écouter un prof. Pourtant, les choses n'ont rien à voir avec ma terminale dans ce cas précis, mais c'est plus fort que moi, je me sens lâche de devoir partir.

Les billets m'ont coûté cher, puisque je n'ai pas de carte de réduction, mais si c'est le prix à payer pour être en sécurité, je suis prête à casser ma tirelire. Le plus dur à supporter reste d'abandonner l'université. Je n'arrive pas à me résoudre à cette idée. J'aime ce quotidien d'étudiante, j'aime me rendre à la fac tous les jours et apprendre. Même si j'ai dû faire tout ce que j'ai fait, je me suis toujours sentie bien sur le campus. Pour autant, je ne renonce pas à mes études. Je suis déterminée à finir cette année coûte que coûte, assiduité ou pas. Dans ma tête, je n'ai jamais envisagé la possibilité de tout laisser tomber, j'ai trop donné cette année pour tout foutre en l'air au dernier moment. Tous ces clients, toutes ces galères, au fond, c'était uniquement dans le but de continuer à étudier, de ne pas baisser les bras.

Il fallait donc que je trouve une personne sérieuse et de confiance pour m'envoyer les cours par la poste. Une copine de fac m'est tout de suite venue à l'esprit. Je ne la connais pas très bien, nous sommes juste camarades de classe. On s'assoit naturellement à côté l'une de l'autre pour quasiment tous les cours, on s'entend plutôt bien, même si je ne l'ai jamais vue en dehors de l'université. J'ai dû inventer une excuse bidon pour lui expliquer mon départ, une histoire de famille. C'est ce qui m'a semblé le plus plausible. Ça m'a gênée de lui mentir, mais là encore, je ne pouvais pas faire autrement. Contre une avance en liquide pour les frais postaux et les photocopies, elle a accepté de m'envoyer les cours.

Laura D.

Les devoirs en classe ne comptent pas pour le résultat final, et avec mon certificat médical, les professeurs ne peuvent pas me reprocher mes absences aux TD. Même en sachant que je ne lâche pas vraiment la fac, je suis triste. Tout le petit monde auquel je rêvais en septembre s'est effondré. J'ai envie de pleurer parce que j'ai l'impression d'être victime d'une injustice ; j'ai envie de pleurer parce que mes espérances se sont effondrées. Je vais continuer les cours à distance, mais vais-je y arriver ? Suis-je assez forte, assez disciplinée ?

J'ai posé ma démission hier à mon boulot. Là aussi, j'ai ressenti un pincement au cœur, non pas parce que je laissais tomber un travail qui me plaisait – bien au contraire –, mais parce qu'il a été malgré tout une échappatoire. Il me permettait de sortir de chez moi, de plonger dans le travail et de ne plus penser à ma vie. Dans l'ensemble, je m'entendais bien avec mes collègues, et ils m'aidaient souvent lorsque je ne savais pas faire quelque chose. Mon patron n'a pas vraiment cherché à savoir pourquoi je partais. Des étudiants qui vont et viennent, il doit en voir des dizaines tous les ans ; rien d'extra-ordinaire, donc.

Je ne sais pas ce qui m'attend à Paris. Peut-être que rien ne sera mieux, peut-être même que je ne tiendrai pas quinze jours toute seule là-bas. Je sais qu'au début, la galère va recommencer. Il faudra que je coure partout pour chercher un travail. Je vais aussi devoir me réhabituer à vivre avec quelqu'un, qui plus est quelqu'un que je connais peu. Et surtout, je n'aurai personne pour m'aider, me soutenir, me consoler si un jour je n'ai pas le moral. Je suis prête à affronter tout cela, car ce sera dans l'optique d'un avenir sain, de quelque chose de meilleur. La prostitution, elle, ne m'a offert que le pire.

J'ai prévenu l'amie de ma mère qui doit m'héberger, mais elle ne peut pas venir me chercher à la gare. Comme elle habite en banlieue, elle m'a indiqué quel RER prendre pour me rendre chez elle. Tout ceci est bien sûr temporaire, elle ne fait que me dépanner. Je dois me trouver un autre toit rapidement, n'importe quoi, une colocation, une chambre de bonne. Même complètement démoralisée, j'ai l'impression que rien ne sera aussi dur que tout ce que j'ai pu vivre ici, à V.

Devant ma copie, je n'écoute pas le cours. Je devrais profiter de mes dernières heures dans cet amphi majestueux, mais ma tête est bousculée par mes pensées noires. Je pense à ce soir, à mes valises que je vais devoir faire seule. Aux cours et aux livres que je vais devoir emporter avec moi pour continuer à étudier. J'y suis tellement attachée que je ne les laisserais pour rien au monde derrière moi, même si ma valise doit peser une tonne. Et puis, les habits, ce n'est pas si important, je me suis bien passée de shopping cette année. Depuis septembre, plus que jamais, j'ai dû apprendre à mesurer l'ordre de priorité des choses.

Je garde mon appartement jusqu'à la fin du mois, puisque j'ai payé le loyer. Il sera vide, mais tant pis. Mon père viendra chercher les meubles avec un ami, plus tard. J'ai aussi prévenu ma propriétaire de mon départ, ça ne l'a évidemment pas réjouie, mais je lui ai assuré que je lui trouverais un autre locataire très rapidement. Elle ne m'a jamais appréciée, et d'ailleurs, je la comprends, j'ai souvent eu des retards dans mes paiements, malgré tous mes efforts. J'ai posé des annonces à la fac pour signaler un studio de libre. À V., ce ne devrait pas être difficile, même à cette période de l'année. Au fond, je m'en fous. J'ai bien d'autres choses en tête à l'heure actuelle.

Il ne reste plus que dix minutes de cours. Les gens s'agitent déjà, impatients de rentrer chez eux. Je voudrais m'accrocher à mon siège et ne pas avoir à partir. Ils ne peuvent pas comprendre. Pas une seconde ils ne peuvent imaginer ce que j'ai dû faire cette année pour parer à mes galères permanentes. Le brouhaha général couvre la voix du prof qui, résigné, décide de mettre un terme à ce cours. Passé une certaine heure, il doit bien se rendre compte que les cerveaux des étudiants deviennent hermétiques à toute connaissance, et qu'ils ont besoin de s'aérer.

Les gens se lèvent d'un bond dès qu'ils entendent le professeur dire « à la semaine prochaine ». Moi-même, portée par une certaine habitude, je balance négligemment mes feuilles de cours dans mon sac. Puis je me lève doucement, enfile ma veste et sors de l'amphi, comme si c'était un jour ordinaire.

Dehors, j'embrasse ma copine de fac chargée de m'expédier ses cours. Elle me souhaite bonne chance avec une touche de compassion dans les yeux. Je lui ai menti sur la raison de mon départ, mais j'ai droit à sa compassion tout de même.

Au fond, je me dis que je ne suis pas si lâche de partir. C'est au contraire une sage décision, je risque bien trop à rester à V. dorénavant. Je n'ai plus vraiment ma place ici. Si je reste, je ne m'en sortirai jamais. Si je pars, j'ai une chance de me reconstruire. Ici, tout est devenu impossible.

Je fais un clin d'œil à ma copine et pars en direction du métro, comme après une journée banale de cours.

Chapitre 24

Le début

24 avril 2007

Il fait incroyablement chaud à Paris pour un mois d'avril. J'ai fait ma valise dans la panique, je n'ai pas pu prendre tous mes vêtements légers. Je m'en fiche pas mal. Il fait chaud et j'ai atteint mon but, partir de V.

La galère a repris comme je l'avais prévu. Mes deux objectifs sont de trouver en priorité un travail puis, une fois stabilisée, un appartement. Je me donne deux semaines pour décrocher un job, n'importe quoi. Au-delà de cette limite, je devrai accepter mon échec et rentrer à V. Je ne peux pas abuser de l'hospitalité de Sandra, l'amie de ma mère.

La simple idée de devoir repartir à V. me glace le sang et me motive doublement pour trouver quelque chose le plus rapidement possible. Depuis une semaine, je n'ai pas arrêté. Armée de mon CV, j'ai écumé les restaurants et les annonces pour trouver du boulot très vite. Pour ne pas laisser le temps à cette horrible solution de naître à nouveau dans mon esprit. Jusqu'ici, j'ai été forte, portée par l'immense espoir que Paris est ma terre d'exil, où personne ne me connaît en tant que prostituée, où je peux repartir à zéro et commencer une nouvelle vie.

La colocation avec Sandra, l'amie de ma mère, se passe bien pour l'instant. Elle m'a accueillie les bras ouverts, contente d'avoir un peu de compagnie dans son appartement. À une époque, elle était très proche de ma mère, elle était donc ravie de connaître sa fille. Aujourd'hui cinquanteraire, cette femme porte les souffrances de sa vie sur son visage. Elle travaille toute la journée comme comptable dans une entreprise d'électroménager et déteste son job. Elle rentre souvent fatiguée, épuisée par ses collègues, par les montagnes de chiffres qu'elle a dû aligner toute la journée. Je la trouve jolie malgré tout, surtout quand elle rentre du travail et relève en chignon ses cheveux teints en blond. Elle vit une petite vie tranquille, ne manque de rien mais est loin d'être riche. Son appartement n'a rien de luxueux, les meubles sont en majeure partie de la récupération, mais elle a réussi à rendre l'endroit plaisant, avec des tissus aux couleurs chaudes.

Nous dînons souvent ensemble et elle m'aide même à rédiger des lettres de motivation pour trouver un boulot. Un soir, elle m'a confié avoir galéré comme moi pendant ses premières années post-universitaires. Je me demande alors si elle n'a jamais envisagé la prostitution comme recours. Bizarrement, si c'était le cas, j'y trouverais un certain réconfort, j'aurais ainsi l'impression de ne pas être toute seule.

Je me sens bien chez elle, même si ma petite vie indépendante dans mon propre appartement me manque. Elle a aménagé son salon pour me recevoir, en dépliant le canapé-lit. Chaque matin, je le remets poliment en place, voulant déranger le moins possible.

Depuis mon arrivée, je n'ai pas vraiment pu me concentrer sur mes recherches d'appartement. N'ayant pas de travail, je ne peux apporter aucune garantie pour monter un dossier, ce serait perdu d'avance. Je préfère faire les choses en leur temps, consciente que je n'en ai justement pas beaucoup. Malgré tout, la gentillesse de Sandra me pousse à ne pas rester trop longtemps. Je sais par expérience que les relations entre deux personnes se défont plus rapidement qu'on ne le croit dans ce genre de situations où l'un doit quelque chose à l'autre. Je me sens déjà si mal à l'aise de devoir dépendre de quelqu'un qu'il est hors de question de la mettre elle aussi mal à l'aise avec ma présence.

L'angoisse revient. Seule à Paris, loin de ma famille et de mes amis, je n'ai aucun appui. Il faut que je prenne une décision rapidement : revenir à V. et admettre mon échec, ou agir, ici, sur Paris. Je choisis l'action. L'idée de devoir retourner à V. me paralyse. J'ai vu bien pire dans ma vie, je peux tenir encore.

À l'heure actuelle, personne ne m'a rappelée pour un job. Cela fait une semaine maintenant et je commence à paniquer. Mes poches sont vides et je ne suis pas sûre d'arriver à finir la semaine avec le peu d'argent que j'ai réussi à amener.

Je suis aussi rattrapée par mon passé. Joe n'en finit pas de me harceler. Il me laisse quotidiennement des messages me suppliant de revenir sur V., disant qu'il m'offre le billet de train. Il prétend qu'il a besoin de me revoir avant de mourir. Ses tarifs sont si exorbitants qu'ils en deviennent improbables. Je filtre tous ses appels et contourne tous ses vices : si mon téléphone sonne sans afficher de numéro, je ne réponds tout simplement pas. Je dois avouer que plus d'une fois, j'ai été tentée de tout laisser tomber et de repartir sentir l'odeur de cet argent.

Dans mon besoin de faire un trait sur mon passé, je réalise de plus en plus que je ne pourrai y parvenir sans en parler. Le soir, je n'arrive pas à m'endormir. Je me tourne et retourne dans mon lit, des images d'horreur défilent devant mes yeux. Je pleure souvent, me rendant compte que toute ma vie, je devrai composer avec cette expérience. Parler, oui, mais à qui ? J'écume les forums de discussion consacrés à la prostitution étudiante, sans jamais trouver les réponses à mes interrogations. Au contraire, certaines filles qui fréquentent ces sites me fustigent pour oser avancer l'idée que la prostitution est un véritable fléau parmi les étudiants. Elles tiennent des discours insensés, tellement éloignés de ce que j'ai pu ressentir, que, très vite, je ne me connecte même plus et dénie à cette voie le pouvoir d'aider à ma libération psychologique.

Laura D.

Au cours de mes insomnies, je ne trouve refuge que dans l'écriture et dans mes études. Mes soirées et mes nuits, lorsque tout est silencieux, je les consacre au récit de mon histoire, de mes émotions. J'écris pendant des heures, en ne pensant plus à rien. Peu à peu, je me rends compte que j'exorcise tout le mal-être qui me ronge de l'intérieur. Plus je tape sur mon clavier d'ordinateur, celui que m'a offert Joe, plus je prends du recul par rapport à ma vie. Je commence à avoir une lueur d'espoir, à me dire que je m'en sortirai un jour. Je ne serai peut-être plus une pute.

Je travaille aussi plus que jamais mes cours, encore plus que lorsque j'étais présente dans les amphithéâtres à V. Je ne veux pas tout gâcher, mon avenir me semble tellement incertain. Cette semaine, j'ai reçu par courrier les premiers cours, ce qui m'a remplie de joie. Ma copine de fac ne m'a pas oubliée. Je garde espoir comme je peux : si je réussis à trouver un bon travail à Paris, je mettrai de l'argent de côté et m'inscrirai ici à l'université. Je suis sûre de pouvoir y arriver. Ma vie tumultueuse m'a donné la rage, je sais ce qu'est la galère et je ne veux pas retomber là-dedans. Parfois aussi, je pleure devant un exercice, un texte que je ne comprends pas. Je me dis que mon père a raison, que je n'ai jamais fait les choses comme il fallait. Peut-être pas, mais j'ai fait comme j'ai pu, avec ce que j'avais, presque rien. On peut me blâmer, me juger, je ne peux pas revenir en arrière. Au contraire, je n'ai jamais vécu que pour mon avenir, je ne me suis prostituée que pour pouvoir continuer à étudier. On peut me blâmer, oui, mais je n'ai jamais baissé les bras.

Aujourd'hui, je ne me permets pas de déprimer, j'ai trop de choses à faire et à entreprendre. Trop de choses à réussir.

Chapitre 25

La dépendance

17 juin 2007

Le dernier mois à Paris a été intense. Mes recherches de travail ont porté leurs fruits au bout de deux semaines, pile dans la limite que je m'étais accordée. J'ai finalement réussi à décrocher un boulot de serveuse dans un restaurant chic du centre de Paris. J'habite toujours chez Sandra et les allers et retours entre mon lieu de travail et son appartement m'épuisent, mais au moins, je gagne de l'argent. Dans le métro, profitant de la longueur du trajet, je lis les cours que j'ai mis dans mon sac avant de partir le matin. Je me force à rester concentrée malgré mes yeux qui se ferment d'eux-mêmes. Mes horaires ne sont pas stables et parfois, je finis tard le soir, quand il n'y a plus de métro. La première fois, j'ai pris un taxi. Je n'avais pas vraiment le choix, je ne connais pas bien mes collègues et je ne me voyais pas leur demander de m'héberger. Lorsque j'ai vu le montant affiché au compteur, je me suis promis de ne plus jamais le faire. Je ne peux décemment pas dépenser tout l'argent que je gagne dans des taxis pour rentrer.

De nouveau, je fais face à un cercle vicieux : j'ai un travail, oui, mais je ne pourrai bientôt pas le garder si je n'assure pas les horaires du soir. J'écume donc toutes les petites annonces à la recherche d'un logement. Je croyais avoir vu le pire avec V. au niveau des prix, mais Paris est un enfer. Je ne trouve rien qui entre dans ma maigre fourchette de prix, pas même une chambre de bonne. Les colocations sont parfois plus abordables, mais on demande beaucoup de garanties, parfois même plus que pour un appartement. Je suppose que les propriétaires doivent exercer plus de pression sur les locataires pour qu'ils payent à temps : le nombre de locataires augmentant, le risque de ne pas voir la couleur de l'argent est multiplié.

Au début, Sandra continuait de me répéter : « Mais ne t'en fais pas, tu peux rester autant de temps que tu le souhaites, tu ne me déranges pas du tout ! » Devant le besoin évident d'habiter près de mon lieu de travail, elle s'est mise à m'aider comme elle le pouvait. Elle demandait dans son entourage si personne n'avait une chambre de libre. Rien, pas même une cage où j'aurais pu me réfugier.

Sa gentillesse s'est peu à peu transformée en simple politesse. Voyant que mes recherches d'appartement n'avançaient pas, elle a commencé à devenir de plus en plus distante avec moi, ce qui est humain. Nous ne prenons plus de repas ensemble, elle ne m'adresse que vaguement la parole. Comme prévu, ma présence commence à lui peser. Je sens bien que je la dérange dans son quotidien. Son appartement n'est pas très grand et le fait que j'occupe le salon n'arrange pas les choses.

Un soir, je rentre, comme d'habitude, très tard du travail. Je suis épuisée et je n'ai qu'une envie : me coucher tout de suite. Je la trouve avec deux amies dans le salon, discutant autour d'un verre de vin, après avoir dîné ensemble. À ma vue, Sandra fait une sorte de grimace qui veut tout dire : elle aurait aimé que je ne sois pas là et pouvoir profiter de ses amies tranquillement. Je me sens désolée et j'essaie de me faire toute petite, en me précipitant dans la salle de bains pour prendre une douche. Quand je ressors, ses amies sont déjà parties.

– Tes amies sont rentrées ?

– Oui, on ne pouvait pas continuer à discuter dans le salon puisque c'est là que tu dors.

J'ai dépassé la limite de ce qu'elle peut supporter. Sans un mot, je me couche après avoir déplié le canapé. Je sais que demain, je devrai partir, avant que Sandra ne me mette dehors, exaspérée.

Au travail, je demande à une collègue qui a un grand appartement dans Paris si elle peut m'héberger. Nous nous entendons bien, je sais qu'elle ne refusera pas. Je déteste ce genre de situations.

– Pas longtemps, juste le temps de trouver quelque chose de convenable.

Elle accepte, le sourire aux lèvres. C'est souvent cela au début, les gens disent oui, contents de ne plus être seuls chez eux, mais au bout de quelque temps, ils se rendent compte qu'ils préfèrent leurs aises. En plus, à Paris où les appartements sont souvent très petits, on se marche rapidement dessus. Je sais que cette solution n'est que temporaire et qu'il me faudra vite en trouver une autre. Pour elle, mais aussi pour moi. Je ne peux plus, je ne veux plus dépendre des autres.

Je fais mes valises le soir même en rentrant. Sandra me serre dans ses bras, surprise de la rapidité de ma décision. Elle est aussi certainement peinée de ma situation et se sent peut-être coupable. Mais je sais qu'une fois que je serai partie, elle fera ce qu'elle n'a pas pu faire depuis un mois : s'affaler sur son canapé et se réjouir d'avoir retrouvé sa solitude.

Mes galères à répétition me ramènent souvent à mes pensées noires. Et si je plaquais tout ? Et si j'acceptais la proposition de Joe ? Je sortirai de toute cette galère. Je sais qu'au fond, cette solution n'en est pas une, elle est seulement provisoire. Elle brille par tout l'argent qu'elle peut offrir, mais lorsque l'on s'approche, elle devient sale et dangereuse.

J'appelle mon amie de fac qui m'expédie les cours, pour lui donner ma nouvelle adresse. Encore une fois, elle ne cherche pas à comprendre. Tant mieux, car je ne suis pas capable de lui inventer un nouveau mensonge. Elle est en pleine révision et commence à paniquer avec les examens qui approchent.

— Laura, tu vas rentrer pour passer les examens, n'est-ce pas ? Si tu veux, je pourrais t'héberger.

Je lui réponds que oui, bien sûr, la remerciant de sa proposition que je vais devoir accepter, puisque je n'ai nulle part où aller pendant la semaine de partiels de mai.

Je dois donc négocier avec mon patron au restaurant, en travaillant douze heures par jour pendant deux semaines pour compenser la semaine de mon absence. Avec toutes mes heures supplémentaires, je peux prendre cinq jours de repos. C'est exactement ce qu'il me faut pour passer mes examens.

Je préviens ma mère de mon retour, en lui précisant cependant que je n'aurai pas le temps d'aller les voir, elle et mon père. Elle est évidemment très déçue, mais au fond, je la sais fière en même temps de sa fille qui se ne démonte jamais et prend ses responsabilités.

La semaine de partiels m'achève. Je n'ai plus qu'une envie : me poser dans un lit et m'endormir pendant des heures, ne plus avoir à me soucier de tout cela. Malgré tout, je ne m'arrête pas, travaillant tard la nuit avec mon amie. Nous nous motivons l'une l'autre. Le corps humain est malléable et le fait de savoir que bientôt, mon année universitaire sera terminée, m'empêche de tomber de fatigue. Je veux tellement réussir cette année, il aurait été trop injuste, après tout ce que j'ai vécu, de ne pas y arriver. J'ai trop étudié, trop révisé pour m'effondrer au dernier moment. Je me l'interdis. J'ai tout donné cette année, jusqu'à mon propre corps. Il est hors de question d'échouer.

À la fin des partiels, je saute dans un train pour Paris, après avoir remercié chaleureusement mon amie pour son accueil et son soutien. Elle ne m'a pas posé de questions, considérant sûrement que ma vie privée ne regardait que moi.

Je reprends aussitôt le travail, toujours dans un rythme effréné. Je n'ai même pas le temps de penser aux résultats, aux copies que j'ai rendues. J'ai fait le maximum, je n'ai plus qu'à attendre.

Quelques jours plus tard, devant mon ordinateur, j'attends que les résultats apparaissent. Depuis deux semaines, j'ai cette date en tête. Je tape mon numéro d'étudiante, qui va me permettre dans quelques secondes de connaître mes résultats. Je tremble, je stresse. Et si j'avais raté ? Je n'ai peut-être pas réussi à convaincre dans mes dissertations. Ma fatigue et mon ras-le-bol ont pu transparaître dans les lignes que j'ai écrites…

Le résultat s'affiche soudain. Je suis reçue, avec mention assez bien. Devant mon écran d'ordinateur, j'en pleure de joie. Tout ce que j'ai vécu comme épreuves cette année n'aura donc pas été si vain finalement.

Chapitre 26

L'espoir

5 septembre 2007

Voilà, j'ai réussi mes partiels et je suis toujours à Paris. J'ai 19 ans, une nouvelle année commence. J'ai continué de travailler tout l'été dans le restaurant, en essayant de mettre le maximum d'argent de côté. J'habite toujours chez ma collègue et, contrairement à ce que je pensais, cela se passe plutôt bien. Je lui donne tout ce que je peux pour le loyer, ce qui la soulage un peu pour ses frais. Notre colocation n'a rien à voir avec celle que j'avais avec Manu. Elle galère aussi, elle me comprend.

Je communique beaucoup avec mes parents par téléphone : nos relations ont beaucoup évolué. J'ai dû grandir plus vite que n'importe qui l'année dernière et cela apparaît dans mon comportement. Je les sens qui me soutiennent. Je sais par ma mère que mon père a été impressionné par ma réussite aux examens et mon courage. Ils n'ont jamais compris pourquoi je suis partie et j'espère qu'ils ne le comprendront jamais. Je sais aussi qu'ils regrettent de ne toujours pas pouvoir m'aider financièrement, mais leur encouragement moral me stimule. Ils me prouvent aujourd'hui ce que j'ai toujours su : qu'ils seront toujours là, malgré mes choix.

Je continue cependant de chercher un logement. Je vais m'inscrire en deuxième année d'université à Paris et je dois travailler dans des conditions convenables. Je ne veux pas rentrer à V. Là-bas, je le sais, tout est écrit d'avance. Je ne veux pas non plus abuser plus longtemps de la gentillesse de ma collègue. Le restaurant m'a proposé un CDI à mi-temps, que je vais accepter. Avec cette assurance de salaire, je suppose que les choses devraient être plus faciles.

Mais cela s'avère plus dur que prévu. De visites de studios en visites de chambres de bonne, je me rends bien compte que mon dossier ne fait pas le poids face aux autres. Je n'ai pas de garants, et même avec un CDI, les propriétaires préfèrent confier les clés d'un appartement à un jeune qui aura quelqu'un derrière lui en cas de besoin. Ce que je n'ai pas. Mes parents ne gagnent, paraît-il, pas assez bien leur vie. Sans blague.

Mon avenir reste donc incertain. J'ai des rêves plein la tête, mais la société me ramène constamment à la réalité. Je veux continuer mes études, je veux continuer d'apprendre, mais les obstacles sont toujours là. Vais-je arriver à trouver un appartement ? Serai-je capable d'alterner boulot et études ? Mais surtout, serai-je assez forte pour ne pas retomber dans la prostitution ? L'argent du sexe est trop rapide, trop important pour que je me refuse à y penser. Je sais ce que je veux, mais je sais aussi que ce n'est pas toujours en accord avec la réalité. De grandes espérances mais de petits moyens.

Postface
par Eva Clouet [1]

La prostitution étudiante
à l'heure d'Internet

---

1. Eva Clouet a 23 ans, elle est étudiante en Master 2 de sociologie – « Genre et Politiques sociales ».

« En France, près de 40 000 étudiant(e)s se prostitueraient pour pouvoir poursuivre leurs études. » Cette information, révélée par le syndicat SUD-Étudiant au printemps 2006 lors du mouvement contre la loi d'« égalité des chances », a pour objectif d'attirer l'attention du gouvernement français sur la « réalité étudiante ». Dans ses revendications, ce syndicat étudiant met en avant les conditions de vie difficiles que connaissent actuellement un certain nombre d'étudiant(e)s (rareté et cherté des logements, fins de mois très serrées, difficulté à mener de pair travail salarié et travail universitaire, etc.), et pointe du doigt les contradictions des réponses proposées par les pouvoirs publics pour pallier ces dysfonctionnements.

Dès l'automne 2006, les médias (presse et télévision principalement) s'emparent de l'information, visibilisant ainsi la problématique de la précarité économique des étudiant(e)s sous un angle nouveau et racoleur. Dans un contexte de pré-campagne électorale, le chiffre des « 40 000 » résonne tel un pavé dans la mare. Curiosité, surprise, indignation, incompréhension, scepticisme, fantasme... le sujet de la prostitution étudiante fait son entrée sur la scène publique, provoquant débats et réactions.

Dans nos sociétés, la prostitution – quelle que soit sa forme – demeure une pratique fortement stigmatisée et l'image de la prostituée[1] reste, dans l'imaginaire collectif, souvent associée à une personne « en marge » parce que « désespérée au point de vendre son corps ». Ainsi, lorsqu'il s'agit d'étudiant(e)s, le malaise s'accroît. L'image que nous avons de la prostituée – une femme étrangère attendant le client sur le trottoir[2] – apparaît comme étant incompatible avec les représentations que nous nous faisons de nos étudiant(e)s. Pourtant, comme en témoigne Laura, la prostitution étudiante est une réalité qui existe bel et bien dans notre pays. Mais alors, comment se fait-il qu'en France, grande puissance mondiale dont le système

---

1. Par convention, nous utiliserons le terme de « prostituée » pour désigner à la fois les hommes, les femmes et les transgenres qui proposent des prestations sexuelles contre rétribution.

2. En février 2006, 138 étudiant(e)s de deuxième année de psychologie et de médecine du campus universitaire de Nantes ont été interrogés par le biais de questionnaires sur les thématiques de la prostitution non étudiante et étudiante. Les résultats de cette enquête montrent que selon cet échantillon, le « profil type » d'une personne prostituée en France correspond à « une jeune (84,8 % des répondants) femme (97,8 %) étrangère (82,6 %) racolant dans la rue (71,3 %) ». Ce « profil » fait écho à celui véhiculé de façon assez régulière dans les médias – lorsqu'ils parlent des réseaux de prostitution notamment – tout en mettant l'accent sur la forme de prostitution la plus visible (celle dont le racolage s'effectue sur la voie publique). Or, d'après les travaux de « la mission prostitution » de l'association Médecins du Monde (Antenne nantaise), la prostitution de rue ne concernerait en France que 40 % de la prostitution globale.

Laura D.

éducatif – bien que critiqué et critiquable – est souvent cité en exemple, certain(e)s étudiant(e)s se prostituent ?

Si à ce jour aucune étude sérieuse n'est en mesure de chiffrer l'ampleur du phénomène – à ce propos, le chiffre des « 40 000 » ne repose sur aucun travail scientifique et reste donc une estimation –, l'histoire de Laura ainsi que mon étude sur le monde des escortes étudiantes mettent en lumière un certain nombre d'éléments, offrant ainsi quelques clés de compréhension sur la vaste question de la prostitution étudiante.

1. LA PROSTITUTION ÉTUDIANTE, UNE RÉALITÉ HÉTÉROGÈNE

Aujourd'hui, il existe autant de sujets prostitués [1], que de lieux de prostitution, et de façons de se prostituer. Dans ce contexte, l'anthropologue et politologue Janine Mossuz-Lavau explique qu'il apparaît désormais plus approprié de parler *des* « prostitutions » (au pluriel) plutôt que de *la* « prostitution » « tant les situations sont diverses [2] ». À chaque lieu (studios, bars, boîtes, Internet, salons de massage, aires d'autoroute, bois, camion-nettes…) correspond une réalité prostitutionnelle avec ses propres acteurs, ses propres codes, ses propres spécificités, ses propres tarifs, sa propre clientèle, ses propres contraintes et ses propres enjeux. Les étudiant(e)s qui se

---

1. Individus appartenant à une catégorie sociale reconnue comme telle ; par exemple : les étudiants, les jeunes des classes moyennes, etc.
2. Janine Mossuz-Lavau et Marie-Élisabeth Handman, *La Prostitution à Paris*, Paris, Éditions de la Martinière, 2005, p. 13.

prostituent n'échappent évidemment pas à cette diversité. Ainsi, si certain(e)s étudiant(e)s choisissent la rue comme lieu de prostitution[1], d'autres racolent sur le campus ou par « petites annonces » et reçoivent leurs clients dans leur cité-U, d'autres encore se prostituent dans les alcôves des fameux « bars à hôtesses » (ou « bars à bouchon ») ou des « salons de massage », et d'autres – comme Laura – plébiscitent Internet pour monnayer leurs prestations sexuelles. La prostitution étudiante n'est donc pas une réalité homogène puisqu'elle recouvre une diversité de formes et de pratiques.

Pour autant, la démocratisation de l'accès aux nouveaux moyens de communication tels que le Minitel dans les années 1980, l'Internet et la téléphonie mobile aujourd'hui a, semble-t-il, intensifié le développement d'une prostitution « amateur » (par opposition à une prostitution « professionnelle ») et « occasionnelle », où la catégorie des étudiant(e)s présente une certaine visibilité.

Parmi la multitude de visages que revêt la prostitution étudiante, cette postface se propose d'apporter quelques éclairages sur une forme particulière de prostitution – celle-là même pratiquée par Laura –, à savoir la prostitution volontaire (choisie), exercée de façon indépendante (sans proxénète) et occasionnelle par des étudiant(e)s au moyen d'Internet.

---

1. À ce sujet, nous pouvons consulter le témoignage de Sélénia, étudiante qui s'est prostituée pendant un an dans les rues de Toulouse, *in* E. Philippe, « Étudiante, je me suis prostituée », *Esprit Femme* (mensuel), février 2007, n° 21, p. 56-57.

Laura D.

Internet et figure de l'« escort girl » étudiante

En matière de prostitution, le Minitel des années 1980, avec ses célèbres « messageries roses », et désormais Internet présentent des avantages non négligeables, tant du côté des clients (demande) que du côté des personnes qui souhaitent se prostituer (offre). Outre le large choix et les mises à jour régulières, Internet permet à toute heure et en tout lieu de faire, à peu de frais, des rencontres discrètes en toute quiétude, car il offre « un anonymat confortable et sécurisant [1] ». De plus, Internet rend l'action de la police évidemment plus laborieuse : « Les prostituées officiant sur le Net ne risquent pas grand-chose, car même si elles peuvent être inquiétées pour racolage, elles ne constituent pas une priorité pour la police [2]. » Dans ce contexte, nombre d'ex-prostituées de rue et autres « anonymes » – dont les étudiant(e)s – se lancent dans cette activité à leur compte.

Sur le Net, les offres de rapports sexuels tarifés les plus visibles sont celles des « escortes ». À l'origine, l'« escorting » consiste à « escorter » un client, c'est-à-dire accompagner une personne (un homme le plus souvent) lors de soirées, au restaurant, au théâtre... Dans ce cadre, la relation sexuelle ne fait pas partie du contrat mais reste une intention implicite, considérée comme un acte privé entre l'escorte et son client. Cette ambiguïté justifie le fait que

---

1. Pascal Lardellier, *Le Cœur Net – Célibat et amour sur le Web*, Paris, Belin, 2004, p. 65.
2. Extrait des « notes d'intention » de l'auteur et metteur en scène Yann Reuzeau pour sa pièce de théâtre *Les Débutantes – Prostituées en quelques clics*, jouée de novembre 2006 à février 2007 à la Manufacture des Abbesses à Paris.

l'escorte soit souvent assimilée à une « prostituée de luxe », car elle répond à une demande spécifique. « On exige d'elle charme, beauté et distinction, mais aussi des qualités intellectuelles qui lui permettent d'accompagner ses clients, souvent des hommes socialement aisés [1] ». Aujourd'hui, l'activité d'« accompagnement » existe toujours, par le biais d'agences surtout. Mais le terme « escorte » est désormais utilisé par l'ensemble des prostituées officiant sur le Net, et ce, quel que soit le « niveau » de leur prestation. Par conséquent, sous le vocable « escorte » se cachent des réalités diverses : « Anciennes prostituées de rue chassées du trottoir, professionnelles à l'agenda bien rempli, étrangères exploitées par des réseaux [2], ou encore, « belles de nuit » occasionnelles [3]. »

---

1. Christelle Schaff, *Prostitution en France : l'enquête*, Éditions de la Lagune, 2007, p. 50.

2. Toutes les prostituées du Net ne sont évidemment pas indépendantes : beaucoup travaillent pour le compte d'« agences », certaines subissant les pressions de proxénètes, notamment avec la mise en place des « tours », véritables réseaux d'esclavage. *Prostituée « on tour »* : Désigne une prostituée / escorte qui travaille pour le compte d'un proxénète. Ce dernier l'installe pour une période – plus ou moins courte – dans l'hôtel d'une grosse ville occidentale où elle reçoit quotidiennement un nombre important de clients (souvent plus de 10 par jour), puis il la change de ville. Les réseaux de recrutement (majoritairement en place dans les pays de l'Est) et le racolage s'effectuent par l'intermédiaire du Web. Les termes « *on tour* » signalent que la prostituée est « en tournée », qu'elle fait le « tour » des grandes villes occidentales. En mai 2000, un office complémentaire à l'OCRETH (Office Central de Répression de la Traite des Êtres Humains) est créé pour lutter contre la criminalité liée aux nouvelles technologies. L'OCLCTIC (Office Central de Lutte contre la Criminalité liée aux Technologies de l'Information et de la Communication) est chargé de gérer les délits mineurs tout comme les crimes liés au proxénétisme.

3. Matthieu Franchon et Andreas Bitesnich, « Salariées le jour, escort girls la nuit », *Choc* (hebdomadaire), 28 juin 2007, n° 87, p. 26-33.

Laura D.

Les escortes, qu'elles soient « professionnelles » ou « amateurs » comme Laura, racolent et communiquent par le biais d'annonces sur des sites spécialisés ou généraux qui comportent une rubrique nommée « rencontres vénales » ou encore « rencontres pour adultes ». Ces annonces renferment essentiellement des renseignements précis relatifs aux services proposés. Nous y trouvons par exemple les mensurations de l'escorte, son âge, la région ou ville dans laquelle elle exerce, ses disponibilités, ses tarifs, et parfois un bref paragraphe détaillant ses prestations ainsi que ses « tabous [1] ».

Un certain nombre d'escortes possèdent également leur propre site ou blog [2]. Ces sites personnalisés, généralement basiques dans leur design et dans leur interface, se présentent souvent de la même manière. D'abord, une fenêtre s'ouvre et précise que l'internaute doit être majeur pour poursuivre son investigation. En entrant sur le site, un texte, souvent rédigé par l'escorte elle-même, dresse une présentation plus ou moins détaillée de sa personne. Certaines se contentent de se décrire physiquement, alors que d'autres évoquent leurs centres d'intérêt, leur

---

1. Dans le jargon de l'escorting, les « tabous » désignent les pratiques sexuelles que l'escorte refuse de faire dans le cadre de relations vénales. Par opposition, l'expression « sans tabou » désigne une escorte qui accepte toutes sortes de pratiques.
2. *Blog (ou blogue)* : *Site Web* constitué par la réunion d'un ensemble de billets classés par ordre chronologique. Chaque billet (appelé aussi « note » ou « article ») est, à l'image d'un journal de bord ou d'un journal intime, un ajout au blog. Le *Blogueur* (celui qui tient le blog) y porte un texte, souvent enrichi d'*hyperliens* et d'éléments multimédias, sur lequel chaque lecteur peut généralement apporter des commentaires.

situation matrimoniale, les raisons pour lesquelles elles se prostituent… Ce texte permet aussi à l'escorte d'exposer ses attentes vis-à-vis de la rencontre vénale et du comportement du client (conditions de rencontre, goûts en matière de pratiques sexuelles, type d'homme…). Ensuite, plusieurs rubriques précisent la nature du service que propose l'escorte. Généralement, nous trouvons la liste des prestations envisageables et celles que l'escorte se refuse à pratiquer ; les tarifs (à l'heure, à la soirée, à la nuit ou plus) ; les disponibilités (« horaires de travail ») ; et enfin la page contact où l'escorte inscrit son courriel et / ou son numéro de téléphone portable. Bien souvent, la « galerie de photos » illustre le blog et dévoile l'escorte sous différentes lumières. Nous pouvons constater que rares sont les escortes « non professionnelles » qui, dans leurs photographies, montrent leur visage. D'une manière générale, celles qui choisissent de masquer leur visage le font essentiellement pour préserver leur identité parce que leur entourage n'est pas au courant de leur activité prostitutionnelle et / ou que l'escorting n'est pas leur unique activité. Souvent, ces femmes ont une autre activité « officielle » (étudiante, par exemple) et se prostituent de façon occasionnelle (à raison de quelques rendez-vous tarifés par mois).

Pour ces « occasionnelles de la prostitution » – qu'elles soient secrétaires, femmes au foyer, avocates, en recherche d'emploi, étudiantes, etc. –, l'activité prostitutionnelle reste secondaire. Dans cette perspective, l'occasionnelle est généralement indépendante (elle travaille pour elle, à son compte) et l'activité prostitutionnelle relève d'un choix personnel, plus ou moins conditionné, mais d'un choix rationnel malgré tout. À ce propos, Malika Nor[1] précise que les prostituées indépendantes occasionnelles sont généralement inconnues des services sociaux (c'est d'ailleurs pour cette raison qu'aucun organisme, institutionnel ou associatif, n'a d'idée précise sur ce qu'est réellement la prostitution étudiante). L'auteure ajoute que cette sorte « de prostitution volontaire est généralement motivée par l'argent, soit parce que cette activité s'avère extrêmement luxueuse et lucrative, soit parce qu'elle ne représente pour ces personnes qu'une source de revenus complémentaire ou nécessaire à un minimum vital ».

Le choix de la prostitution – la possibilité de mener une « double vie » – est sans aucun doute facilité par Internet. Selon l'analyse de Yann Reuzeau, « aujourd'hui, nombre de prostituées débutent par Internet. Parmi elles, beaucoup ne l'auraient jamais fait sans cette opportunité « faussement » virtuelle [...], car la grande nouveauté d'Internet est d'ouvrir cette profession à absolument n'importe qui. Un ordinateur basique, une connexion Internet, deux / trois photos, un gros quart d'heure, et voilà, vous êtes escorte[2] ! » D'ailleurs, si l'on se réfère au

---

1. Malika Nor, *La Prostitution*, Paris, éd. Le Cavalier Bleu, 2001, p. 54.
2. Cette prostitution volontaire et amateur est d'ailleurs l'objet de sa dernière pièce de théâtre. Elle met notamment en scène Marion, 19 ans, étudiante en médecine, qui pour poursuivre ses études, se prostitue occasionnellement via Internet. Yann Reuzeau, *Les Débutantes – Prostituées en quelques clics*, pièce de théâtre (2006), jouée de novembre 2006 à février 2007 à La Manufacture des Abbesses, à Paris.

témoignage de Laura, c'est effectivement en surfant sur le Web qu'elle tombe facilement et rapidement sur une multitude d'annonces explicites. Poussée par le besoin d'argent et la curiosité, tout en ayant le sentiment d'être « protégée » derrière son écran d'ordinateur, Laura trouve sur Internet « *la solution qu'[elle] attendai[t]* » : « *du confort, et vite… ».

A priori, il peut sembler surprenant de trouver les étudiant(e)s dans l'espace de la prostitution. Pourtant, nous savons que cette population est loin de « rouler sur l'or » et nombreux sont celles et ceux qui ont un « job » à côté de leurs obligations universitaires[1]. De plus, la plupart des emplois offerts et compatibles avec l'emploi du temps d'un(e) étudiant(e) sont peu lucratifs, voire sous-payés. Par conséquent, il n'est finalement pas si surprenant de concevoir que « pour une jeune personne en situation économique fragile, la tentation est grande quand on voit le pouvoir d'attraction des sommes en jeu dans ce type d'activité[2] ».

---

1. Selon l'Observatoire de la Vie Étudiante (OVE) : En France, 47 % des étudiants ont un travail salarié à côté de leurs études et 15 % d'entre eux travaillent au moins six mois par an, au moins à mi-temps.
2. Christelle Schaff, *op. cit.*, p. 140.

Laura D.

2. Qui sont les étudiant(e)s qui se prostituent via Internet ?

Il est difficile d'établir un « profil type » de l'étudiant(e) qui se prostitue sur le Net. Cependant, parmi ce public, un premier constat émerge : la quasi-totalité des annonces en ligne est proposée par des jeunes filles. D'ailleurs, si l'on se penche sur les articles de presse parus sur le sujet au cours de l'année, les auteurs ne font nullement référence à une prostitution étudiante masculine. Pour beaucoup, la pratique prostitutionnelle n'est qu'« une affaire de femmes », et, par extension, la prostitution étudiante ne concernerait que les étudiantes. Certes les annonces d'étudiants prostitués sont quasi invisibles sur la Toile, mais cela ne signifie pas pour autant que la prostitution étudiante masculine n'existe pas [1]. À ce propos, plutôt que de penser la prostitution comme n'étant « réservée » qu'aux femmes, il convient de s'interroger sur la réalité de cette différence entre les sexes. Si dans la prostitution les

---

1. Pour mon étude, j'ai rencontré un jeune étudiant qui s'est prostitué pendant deux ans dans la rue et qui aujourd'hui utilise Internet – jugé « moins risqué que la rue » – pour trouver des clients. Il n'a pas d'annonce ni de blog, mais se connecte sur des sites de rencontres « gays » pour établir de nouveaux contacts. Selon lui, la sous-représentation des hommes – et donc des étudiants – en tant que « prestataires » de « services sexuels tarifés » est une histoire d'offre et de demande. « *La demande masculine pour des rapports hétérosexuels "gratuits" est plus importante que l'offre* – d'où l'institution de la prostitution féminine pour "pallier" cet écart. *En revanche, l'écart entre la demande et l'offre de rapports homosexuels masculins "gratuits" est plus faible. Les hommes prostitués sont par conséquent moins nombreux que leurs homologues féminines, car la demande est concurrencée par les "plans gratuits"* ».

femmes sont sur-représentées du côté de l'offre et les hommes sur-représentés du côté de la demande, c'est parce que la prostitution s'ancre dans un système complexe de rapports de genre inégaux. Dans ce système, la sexualité féminine – construite socialement – reste sous contrôle des « pulsions » – se disant « naturelles » alors qu'elles sont socialement construites – des hommes. La prise de conscience de ces mécanismes de domination et de pouvoir de la classe des hommes sur la classe des femmes est indispensable pour appréhender le fait prostitutionnel et la question de la prostitution étudiante.

Ceci étant dit, nous savons donc que la majorité des étudiants prostitués sont des étudiantes. De plus, d'après les différentes sources journalistiques recueillies à ce sujet, les étudiantes qui se prostituent le feraient essentiellement par besoin d'argent et parce qu'elles manquent de temps pour exercer un emploi suffisamment rentable parallèlement à leurs études. Pour expliquer le choix prostitutionnel des étudiantes, les médias mettent donc l'accent sur leur précarité économique en lien avec le coût de la vie qui ne cesse d'augmenter. C'est d'ailleurs ces raisons qui poussent Laura à se prostituer. Comme beaucoup d'étudiants à l'université publique, Laura est issue de la classe moyenne et son niveau de vie dépend fortement de celui de sa famille. Selon les critères et définitions institutionnels, sa famille n'est pourtant pas « dans le besoin » puisque ses deux parents occupent un emploi à temps plein et perçoivent des revenus jugés « suffisants » pour subvenir aux besoins de tous les membres de la famille. Dans la réalité actuelle cependant, même avec deux SMIC, nombre de ces familles « moyennes » doivent apprendre à se « serrer la ceinture » pour vivre décemment.

Pour autant, la précarité économique – liée au milieu social d'origine de l'étudiante[1] – ne peut à elle seule expliquer le choix prostitutionnel des étudiantes. En effet, toutes les étudiantes « en galère financière » ne se prostituent pas ! Et toutes les escortes étudiantes n'ont pas besoin, de façon vitale, d'argent[2]. Dans ce contexte, l'image de la « pauvre étudiante » mise en avant dans les médias est à nuancer.

3. Pour quelles raisons des étudiantes font-elles le choix de se prostituer ?

D'après mon étude, la prostitution des étudiantes est une réponse à différentes ruptures, plus ou moins marquantes, dans leur histoire de vie. Ainsi, les raisons et motivations qui les ont poussées à faire ce choix peuvent varier d'un vécu à l'autre, contribuant de fait à diversifier les profils d'étudiantes prostituées.

---

1. L'aide des parents et des autres membres de la famille représente près de 44,6 % des ressources de l'étudiant [chiffre CREDOC, 1992] – Olivier Galland et Marco Oberti, *Les Étudiants*, Paris, La Découverte, 1996, p. 67.

2. Pour mon étude, j'ai rencontré deux escortes étudiantes dont le gain financier n'incarne pas le but premier de leur prostitution. Toutes deux sont (aisément) soutenues financièrement par leurs parents.

Pour les unes, à l'image de Laura, la prostitution relève avant tout d'un but « utilitaire » – gagner de l'argent – afin de poursuivre leurs études. Pour certaines, elle incarne une sorte de « fantasme interdit » leur permettant de rompre avec des valeurs familiales traditionnelles. Pour d'autres enfin, il s'agit plutôt d'une « revanche » sur les hommes avec qui elles ont entretenu des relations gratuites. À travers ces diverses réalités (qui ne sont pas exhaustives), nous pouvons dégager trois schémas de ruptures : des ruptures sociales et financières, des ruptures vis-à-vis de la morale familiale, et des ruptures par rapport aux relations amoureuses gratuites. Il est évident que ces schémas ne sont pas figés, et que certaines étudiantes combinent deux ou trois de ces ruptures.

a) Des ruptures sociales et financières – Des étudiantes prêtes à tout pour réussir

Pour financer leurs études, payer le loyer ou arrondir leurs fins de mois, des étudiantes choisissent de se prostituer. Une des causes qui mènent à cette pratique est certainement liée à la paupérisation du public étudiant. À ce propos, Guillaume Houzel – président du conseil de l'Observatoire de la Vie Étudiante (OVE) – déclare : « Depuis quelques années, nous constatons une tension croissante sur le pouvoir d'achat des étudiants. Avec la hausse des prix de l'immobilier, leurs dépenses de logement augmentent… mais pas le montant des bourses[1]. » Selon

---

1. Jean-Marc Philibert, « La prostitution gagne les bancs de la fac », *Le Figaro*, 30 octobre 2006, p. 11.

Laura D.

le rapport Dauriac[1] sur la précarité économique des étudiants, 100 000 élèves de l'enseignement supérieur vivent sous le seuil de pauvreté établi à environ 650 euros par mois et par personne. Pour l'OVE, ils seraient plus de 45 000 à vivre aujourd'hui dans une situation de très grande pauvreté, et 225 000 peineraient à financer leurs études[2]. Il convient de rappeler que cette paupérisation touche une certaine catégorie d'étudiants, à savoir ceux que leurs parents ne veulent ou ne peuvent pas soutenir financièrement, et qui doivent en conséquence se débrouiller seuls – ou quasiment – pour subvenir à leurs besoins et poursuivre leurs études.

À l'image de Laura, les escortes étudiantes issues des classes populaires ou moyennes connaissent, dans leur vie actuelle d'étudiantes, un certain nombre de manques sociaux et financiers qui compromettent – de façon plus ou moins forte – la poursuite de leurs études supérieures. Or pour ces étudiantes, la réussite scolaire est primordiale. Outre la gratification personnelle, le fait de poursuivre des études supérieures leur offre la possibilité d'asseoir leur ambition – à savoir « devenir quelqu'un » – et de s'assurer

---

1. Jean-François Dauriac a successivement été directeur du Crous de l'académie de Créteil (de 1992 à 2001) puis de celle de Versailles (jusqu'en 2004). En 2000, Claude Allègre – alors ministre de l'Éducation nationale – charge J.-F. Dauriac d'établir l'état des lieux de la situation économique des étudiants en France en vue de la mise en place d'un « Plan social étudiant ». Jean-François Dauriac, *Note de synthèse du rapport au ministre de l'Éducation nationale, de la Recherche et de la Technologie sur la mise en œuvre du plan social étudiant*, Paris, 2000.
2. Jean-Marc Philibert, *op. cit.* – La France compte aujourd'hui 2 200 000 étudiants.

265

un style de vie plus « confortable » que celui qu'elles ont connu dans leur famille. Cependant, ni ces étudiantes, ni leurs familles ne possèdent les ressources financières suffisantes pour répondre pleinement à cette ambition. Dans ce contexte, la prostitution se révèle être une alternative pour pouvoir « *poursuivre [ses] rêves* ».

De nombreux auteurs[1] s'accordent pour considérer que les étudiants ne sont pas égaux quant au financement de leurs études, et que les atouts – économiques notamment – dont bénéficient les jeunes des milieux aisés, et qui font défaut à ceux issus de milieux moins favorisés, engendrent un accès inégalitaire aux études supérieures. L'État, conscient de cette « inégalité des chances », a mis en place un dispositif permettant d'aider financièrement certains jeunes (bourses sur critères sociaux, bourses au mérite, allocations logement, etc.), leur offrant ainsi un « outil fondamental pour l'ascenseur social[2] ». Cependant, ce système n'est évidemment pas sans faille (rappelons que Laura n'a pas le droit aux bourses) et ne couvre que partiellement les besoins des étudiants. Sur cinq ans, les

---

1. Citons par exemple Pierre Bourdieu et Jean-Claude Passeron, *Les Héritiers : les étudiants de la culture*, Paris, Éditions de Minuit, 1989 ; Raymond Boudon, *L'Inégalité des chances – La mobilité sociale dans les sociétés industrielles*, Paris, Armand Colin, 1979 ; François Dubet, « Les étudiants », *in* F. Dubet *et al.*, *Université et villes*, Paris, L'Harmattan, 1994 ; Stéphane Beaud, *80 % au bac... et après ?*, Paris, La Découverte, 2003 ; M. Euriat et C. Thelot, « Le recrutement social de l'élite scolaire en France », *Revue française de sociologie*, XXXVI-3, juillet-septembre 1995, p. 403-438.
2. En 2006, les aides aux étudiants représentent 6 milliards d'euros et 2,2 millions d'étudiants sont concernés. Source : Laurent Wauquiez, *Les aides aux étudiants : comment relancer l'ascenseur social ?*, Paris, 2006.

dépenses obligatoires – frais d'inscription, Sécurité sociale, logement, repas au restaurant universitaire, etc. – ont augmenté de 23 % alors que les bourses universitaires et l'allocation logement n'ont augmenté que de 10 %. Devant cet état de fait, il est impératif pour de nombreux étudiants d'avoir une activité rémunérée à côté de leurs études.

En 2003, 45,5 % des étudiants français ont exercé une activité rémunérée pendant l'année universitaire (en dehors des vacances d'été [1]). À travers le témoignage de Laura, qui travaille quinze heures par semaine dans une boîte de télémarketing en plus de ses vingt heures de cours à l'université et du temps passé à réviser, nous mesurons combien le fait d'avoir un « job étudiant » la handicape pour mener correctement ses études. Elle est perpétuellement fatiguée et joue avec sa santé. Cette réalité fait écho aux travaux menés par l'Observatoire de la Vie Étudiante qui mettent en avant que l'exercice d'une activité rémunérée en parallèle des études accroît « les risques d'échec ou d'abandon [2] » . Ces risques résultent de la concurrence – en termes de temps notamment – qui s'exerce entre le « job étudiant » et les exigences du travail universitaire. C'est d'ailleurs dans ce contexte qu'il faut, selon l'OVE, inscrire et comprendre la notion de précarité étudiante. De ce point de vue, la prostitution permet aux

1. Claude Grignon (président du Comité scientifique de l'OVE), *Les étudiants en difficulté : Pauvreté et précarité* – Rapport au ministre de la Jeunesse, de l'Éducation nationale et de la Recherche, Paris, 2003.

2. Claude Grignon, *op. cit.*

étudiantes issues de milieux sociaux plus modestes de poursuivre leurs études dans des conditions matérielles favorables – les besoins quotidiens tels que le loyer ou la nourriture sont assurés – tout en leur laissant suffisamment de temps pour travailler leurs cours et espérer ainsi réussir leur année universitaire.

Si la stratégie semble logique, on peut toutefois s'interroger sur le prix que doivent payer ces étudiantes des classes moyennes et populaires pour accéder aux études supérieures et en sortir diplômées. Manifestement, l'ascenseur social et les chemins de la « réussite » sont loin d'être égalitaires pour tous !

b) Des ruptures vis-à-vis de la morale familiale – Des étudiantes désireuses de sortir des carcans

Pour certaines étudiantes, la prostitution ne relève pas directement d'un besoin d'argent, mais plutôt d'une volonté de rompre avec les valeurs traditionnelles familiales et d'assouvir un « fantasme interdit ».

Aujourd'hui, même si la sexualité n'est pas « libre », puisqu'elle s'inscrit – comme toute interaction sociale – dans un certain nombre de rapports (rapports de genre, de classes, de générations, culturels…), elle est perçue comme étant, *a priori*, de moins en moins codifiée [1]. À ce propos, Michel Bozon souligne qu'un des grands changements dans les rapports de générations entre les années 1960 et

---

1. Thomas Laqueur, *La Fabrique du sexe – Essai sur le corps et le genre en Occident*, Paris, Gallimard, 1992.

les années 2000, est que « la génération des parents a désormais renoncé à fixer des normes restrictives aux jeunes [1] ». La possibilité de vivre « une vraie jeunesse » s'est peu à peu généralisée, et l'« autonomie privée » de ces jeunes est globalement acceptée. Dans ce contexte, les parents ne condamnent plus le fait que leurs enfants aient une vie amoureuse active – celle-ci pouvant même se dérouler parfois sous leur toit. Évidemment, ce constat n'est pas valable pour l'ensemble des familles contemporaines. Certaines conservent des valeurs traditionnelles – liées à la morale religieuse – et marquent un contrôle plus exacerbé de la sexualité de leurs enfants.

Dans ces familles conservatrices, l'entrée des jeunes dans la sexualité se fait sous le regard attentif et sous le contrôle de la parenté (et des aînés éventuellement). Les parents fixent les règles selon lesquelles leurs enfants – notamment les filles – peuvent accéder à cette activité statutaire de la maturité [2]. Dans ce contexte, les fréquentations et les sorties des enfants – à l'adolescence principalement – sont souvent fortement contrôlées par les parents. De même, le thème de la sexualité demeure tabou et est rarement mis en avant dans les discussions familiales.

1. Les parents gardent toutefois un regard sur les pratiques sexuelles de leurs enfants, notamment par rapport aux risques d'infections sexuellement transmissibles ou de grossesse non prévue. – Michel Bozon, *Sociologie de la sexualité*, Paris, Armand Colin, 2005, p. 54.

2. Michel Bozon, *ibid.*, p. 16.

Pour les étudiantes évoluant dans ce type de famille, la prostitution est envisagée comme un moyen de s'émanciper des valeurs et des normes familiales. En se prostituant, ces étudiantes se démarquent du modèle parental, affirmant ainsi leur désir d'autonomie vis-à-vis des leurs. Dans cette perspective, elles veulent être actrices de leur vie – leur vie intime en tout cas – et participer à la construction de leur identité personnelle.

c) Des ruptures vis-à-vis de l'amour et des rapports hommes / femmes – Des étudiantes déçues et désillusionnées

Pour certaines étudiantes escortes, la prostitution est un moyen de combler un manque affectif et sexuel. Souvent, ces jeunes femmes ont été déçues par leurs précédentes unions amoureuses et « relations gratuites », dans lesquelles elles ont le sentiment de ne pas avoir été considérées à leur juste valeur. Elles se sont en effet « offertes gratuitement » à des hommes qui n'ont pas su répondre à leurs attentes d'engagement et de reconnaissance mutuelle. Dans ce genre de relations, elles se sont senties « trahies », « abusées », car le respect et la considération pour elles-mêmes demeuraient absents.

Pour autant, ces étudiantes souhaitent conserver une activité sexuelle, et améliorer leur sexualité par l'apprentissage de nouvelles pratiques et expériences. Dans ce contexte, leur pratique prostitutionnelle prend sens. L'argent dans le rapport sexuel permet de clarifier la situation. Ces escortes étudiantes savent que les rencontres dans le cadre de leur prostitution ne dépassent pas les termes du « contrat », et qu'il est vain d'espérer « une histoire » au-delà du rendez-vous vénal. Elles peuvent ainsi vivre intensément la rencontre et se focaliser sur leur propre plaisir sexuel, sans se soucier de l'après.

4. QUE PEUT-ON EN PENSER ?

Quelles que soient les raisons et motivations qui conduisent des étudiantes à se prostituer, cette pratique ne peut être considérée comme un acte anodin. D'ailleurs, les mésaventures de Laura illustrent ce constat. De même, si ce choix est personnel, il s'inscrit toutefois – comme tout choix – dans un contexte particulier. On ne se prostitue pas par hasard. Le besoin d'argent, le désir d'évasion, ou encore la déception vis-à-vis des rapports amoureux, ne suffisent pas à eux seuls à expliquer le fait que certain(e)s étudiant(e)s se prostituent.

D'après une étude sur « le risque prostitutionnel des jeunes [1] », il existe un « terrain de base » où « germent » un certain nombre de dysfonctionnements – liés à l'histoire personnelle et sociale des individus – et qui amènerait certains jeunes à la prostitution. Cette enquête montre

---

1. Cette étude, menée par une association française, n'évoque pas le public étudiant mais cible des jeunes de 18 à 25 ans suivis par les services sociaux et étant en situation de précarité économique et sociale. ANRS – Service Insertion Jeunes – Association Nationale de Réadaptation Sociale, *Le risque prostitutionnel chez les jeunes de 18-25 ans* (étude exploratoire), Paris, 1995.

que les « dysfonctionnements » sont d'ordres variés et s'auto-influencent. Il peut s'agir notamment d'« accidents biographiques » (violences physiques, morales et sexuelles), de problèmes d'identité et d'identification aux modèles parentaux, d'un certain isolement social, d'une fragilité psychologique, d'une disqualification sociale de la famille d'appartenance, de représentations sociales déformées des modes de réussite, ou encore, du fait d'avoir – dans son réseau – des connaissances appartenant au milieu de la prostitution.

Le choix prostitutionnel n'est donc pas le fruit d'un seul élément, mais plutôt d'une combinaison de diverses ruptures – plus ou moins marquantes – personnelles et sociales. Paradoxalement, la prostitution devient pour certain(e)s une alternative qui donne sens à leurs pratiques et choix de vie. Le « passage à l'acte » des étudiantes dans la prostitution s'inscrit dans un contexte particulier, à un moment particulier de leur vie. Si cette activité leur permet de se sortir d'une situation « difficile », elle n'est pas sans conséquences. À ce jour, aucune étude n'existe pour suivre le parcours de ces personnes et constater les conséquences – individuelles et sociales – que pourraient avoir ces pratiques sur le long terme.

5. DES SOLUTIONS ?

Le recours à la prostitution – quelle que soit sa forme – révèle un certain malaise de société. Nous avons vu que cette pratique s'inscrit au cœur de rapports sociaux où la domination masculine et économique règne. Face à cet état de fait, on ne peut que souhaiter une évolution des mentalités afin d'endiguer les inégalités en présence. Nous savons que l'éducation est une des clés du changement des mentalités. Pourtant, les moyens mis en œuvre par les pouvoirs publics pour faire évoluer les mœurs dans ces domaines restent insuffisants (voire inexistants).

Dans notre société, le thème de la sexualité est encore largement tabou et reste empreint de croyances et stéréotypes sexistes qui emprisonnent les femmes comme les hommes dans des rôles sexués différenciés et hiérarchisés. La pudeur, la possibilité de la continence sexuelle, la modération, l'absence de désir, sont encore considérées comme des qualités « naturelles » des femmes. Inversement, le désir, l'agressivité, l'activité, sont définis comme le propre de l'individu masculin [1]. Si davantage d'institutions – et d'individus – prenaient aujourd'hui en compte la dimension des rapports sociaux hommes / femmes dans leurs analyses et actions, la sexualité pourrait être alors envisagée sur un mode égalitaire et libertaire.

Depuis près de dix ans, les différents gouvernements en place souhaitent « transformer » l'université et invoquent comme raison officielle la volonté de lutter contre la précarité économique des jeunes. Toutefois, les diverses réformes proposées (réforme LMD, loi sur l'« égalité des chances » et son fameux Contrat Première Embauche,

---

1. Michel Bozon, *op. cit.*, p. 25.

aujourd'hui la loi sur l'autonomie des universités…) ne font en réalité que renforcer les clivages existants entre les étudiants issus des milieux populaires et ceux élevés dans les milieux favorisés. Si le projet du gouvernement s'inscrivait véritablement dans une visée égalitaire pour tous les étudiants, certaines mesures concrètes seraient mises en place : le système d'aides sur critères sociaux serait revalorisé (des étudiants comme Laura seraient alors boursiers), le nombre de places en cité-U significativement augmenté, les « jobs étudiants » correctement rémunérés et davantage adaptés aux besoins et compétences de chacun, etc.

Mais aussi bien sur les questions d'égalité des sexes que d'égalité des richesses, les dirigeants restent toujours frileux…

Table

Composition et mise en pages : FACOMPO, LISIEUX

Cet ouvrage a été achevé d'imprimer en janvier 2008
dans les ateliers de Normandie Roto Impression s.a.s.
61250 Lonrai
N° d'impression : 080290
Dépôt légal : janvier 2008

Imprimé en France